ALI YASSINE

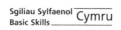

 CYNGOR LLYFRAU CYMRU

ISBN: 9781847711731

Mae Ali Yassine a Alun Gibbard wedi datgan eu hawl dan Ddeddf Hawlfraint, Dyluniadau a Phatentau 1988 i gael eu cydnabod fel awduron y llyfr hwn.

Mae'r cynllun Stori Sydyn yn fenter ar y cyd rhwng Sgiliau Sylfaenol Cymru a Chyngor Llyfrau Cymru. Ariennir y llyfrau gan Sgiliau Sylfaenol Cymru fel rhan o Strategaeth Genedlaethol Sgiliau Sylfaenol Cymru ar ran Llywodraeth Cynulliad Cymru.

Argaffwyd a chyhoeddwyd gan
Y Lolfa, Talybont, Ceredigion SY24 5HE
gwefan www.ylolfa.com
e-bost ylolfa@ylolfa.com
ffôn 01970 832 304
ffacs 832782

Ali Yassine:
Llais yr Adar Gleision

ALI YASSINE
gydag Alun Gibbard

PENNOD 1

2001. Roedd cysylltiad Bobby Gould, y rheolwr, â chlwb pêl-droed Caerdydd wedi dod i ben ar ôl un tymor yn unig. Doedd dim llawer o ffans yr Adar Glcision yn flin wrth ei weld yn gadael, yn enwedig fi. Wrth i'r drws gau yn ei wyneb e, arweiniodd hynny at ddrws arall yn agor i fi. Dyma roddodd y cyfle i fi adael terasau'r Grange End a bod yn rhan o holl gyffro diwrnod y gêm fel un o'r staff. Sut digwyddodd hynny? Wel, fe wnes i ysgrifennu llythyr digon haerllug!

Ysgrifennes i lythyr yn dweud mai fi ddylai fod yn rheolwr newydd ar dîm pêl-droed Caerdydd! Fel hyn roedd e'n dechrau:

> Gan fy mod i'n gwybod cyn lleied am bêl-droed a heb unrhyw gymwysterau o gwbl, dw i'n credu mai fi yw'r boi i'r job!

Roedd gen i fwy o syniadau:

> Dw i'n awgrymu ein bod yn newid enwau'r chwaraewyr i gyd i Jones. Bydd hyn yn ei gwneud hi'n anodd iawn i'r dyfarnwr wybod pwy yw pwy. Yr un enw fyddai ar gefn pob crys! Bydd hynny hefyd yn gwneud fy ngwaith i fel rheolwr yn rhwydd gan

5

mai'r cyfan fydd gen i i'w ddweud mewn sesiwn ymarfer fydd 'Hey Jonesy!' 'Do this Jonesy' ac ati!

Roedd gen i awgrymiadau eraill hefyd.

Gan mai Sam Hammam yw perchennog y clwb, dw i'n credu y dylen ni gael sesiwn karaoke yn ystod hanner amser pob gem gartre'. Gallwn i ei alw fe yn Sing-a-long- a-Sam.

Roeddwn am weld bwydlen y garfan yn newid hefyd er mwyn cynnwys Balti arni bob dydd.

Ar ddiwedd y llythyr, dywedais os nad oedden nhw am i fi fod yn rheolwr, fod gen i syniad arall. Beth am adael i fi wneud y cyhoeddiadau ar y tannoy ar ddiwrnod gêm?

Anfonais y llythyr draw i Barc Ninian. Fyddwn i'n cael ateb, tybed? Go brin. Ond os cawn ateb, beth fydden nhw'n debygol o ddweud wrtha i?

Ymhen llai nag wythnos, daeth yr ateb. Roedden nhw am siarad 'da fi! Swydd rheolwr, tybed? Draw â fi i Barc Ninian i gael gwybod. Na, nid swydd rheolwr – dim syrpréis fanna! – ond roedd ganddyn nhw ddiddordeb mewn trafod fy awgrym i ynglŷn â gneud gwaith ar y tannoy.

Roedd Julian Jenkins, sy'n dal i weithio gyda'r clwb, ishe gweld sut y byddwn i'n perfformio ar y tannoy. Nawr, holais i? Ie, nawr! Felly i fyny â fi i'r sied fechan a oedd yng nghefn y stand.

Agorais y meic a dechrau siarad â Pharc Ninian gwag!

Ar y pryd, roeddwn i newydd orffen cyflwyno cyfres ar Radio Cymru, *Ali ap Rap*. Felly roeddwn i'n gyfarwydd â gwaith radio. Hefyd, roeddwn newydd orffen ffilmio'r gyfres deledu *Glan Hafren*. Roeddwn i'n chwarae rhan nyrs yn y gyfres honno. Felly doedd perfformio ddim yn ddieithr i fi. A chan fod y ddau beth yna wedi dod i ben, wel, dyna pam y gwnes i ysgrifennu at y clwb yn y lle cyntaf! A dweud y gwir, doedd e'n ddim byd mwy na llythyr yn begian am waith ond un ychydig yn fwy gwreiddiol na'r rhan fwyaf o lythyron tebyg!

Ac fe weithiodd! Cynigiodd y clwb y gwaith cyhoeddi i fi. Ocê, ches i ddim jobyn y rheolwr, ond fydden nhw ddim wedi derbyn fy nhelerau i beth bynnag. Nawr roedd gen i gyfrifoldeb yn y clwb. Fi oedd llais yr Adar Gleision!

Dw i'n cofio'r diwrnod cyntaf fel petai'n ddoe. Roeddwn i yno'n ddigon cynnar. O'r eiliad gyntaf ar ôl i fi gyrraedd roedd pawb yn eu tro yn dod lan ata i er mwyn cael dweud eu dweud.

'Cofia wneud hyn a hyn...'

'Ond cofia, paid â neud ...'

'Os byddi di'n dweud y peth a'r peth, cofia paid â dweud hyn a'r llall!'

Trwy'r amser! Roeddwn i wedi cael digon ar hyn i gyd, a dweud y gwir, ac yn dechrau colli fy amynedd. Dyna'r cyfan roeddwn i am ei wneud oedd dechrau'r cyhoeddi go iawn, felly doedd dim rhyfedd mod i'n ddiamynedd.

Cnoc arall ar y drws!

Roeddwn wedi cael digon. Wrth agor y drws, dywedais wrth y dyn a oedd yn sefyll o'm blaen,

'Paid â chamddeall fi, mate, ond dw i wedi cael llond bol ar bobl yn dod ata i drwy'r dydd yn dweud wrtha i beth i neud. O's gwahaniaeth 'da ti adael fi'n llonydd nawr fel y galla i fynd mlaen â'r gwaith?'

'Ocê,' meddai'n ddigon diffwdan a throi ar ei sodlau a mynd 'nôl i lawr y coridor.

Wrth iddo wneud hynny, sylweddolais pwy roeddwn i wedi ei droi i ffwrdd o'r drws. Rhewais yn y fan a'r lle! O na – Phil Suarez oedd e! I unrhyw un o ffans Caerdydd ar y pryd, roedd Phil yn 'legend', wedi creu rhyw 'aura' o'i gwmpas e ac rodd e'n arwr gwerin i'r ffans. Ei le fe roeddwn i wedi'i gymryd gan ei fod yn symud i wneud gwaith arall.

'Stop! Stop!' meddwn i ar dop fy llais wrth drio'i ddenu yn ôl.

'Ti yw Phil Suarez, ond tyfe? Sorri mod i mor ddiamynedd gynne! Dwed beth bynnag ti'n moyn wrtha i, plis. Onest.'

A diolch byth, fe gawson ni sgwrs gall ac roedd e'n garedig iawn wrtha i. Do. Bues i bron â rhoi 'nhroed ynddi cyn i fi agor fy ngheg go iawn!

Deg oed oeddwn i pan es i Barc Ninian am y tro cyntaf. Cael tocynnau yn yr ysgol i fynd i weld Cymru yn erbyn Lloegr dan 18 dw i'n credu. A byth ers hynny dw i ddim wedi edrych yn ôl. Mi es yno wedyn i weld Adar Gleision Caerdydd yn chwarae eu gêmau nhw. Yn y Canton stand roeddwn yn eistedd, gyda'r hen ddynion ar feinciau pren, credwch neu beidio.

Roedd yn amser gwych, llawn hwyl a'r holl awyrgylch yn rhan o'm treftadaeth bêl-droed erbyn hyn. Dyna'r tro cyntaf i mi glywed cymaint o regi. Roedd hynny'n sicr yn sioc i'r system. Ac yn fuan iawn, roedd grŵp ohonon ni fechgyn yn mwynhau'r profiad o fynd i Barc Ninian ar ddiwrnod gêm a bod yn rhan o fyd yr oedolion. Nid clywed y rhegi yn unig wrth gwrs, ond y straeon, y sylwadau a'u barn ar y bêl-droed. Grêt!

Ond roedd un cysgod. Fi oedd yr unig wyneb du, bron, yn y lle i gyd. Falle fod Caerdydd yn un o'r dinasoedd cyntaf ym Mhrydain i gael pobl o wahanol hil yn byw ynddi, ond doedd neb wedi dweud hynny wrth bêl-droed. Dyma'r cyfnod pan oedd pêl-droed yn dechrau cydio ar y teledu a *Match of the Day* yn dechrau ennill ei blwyf. O ganlyniad, roedd unrhyw un nad oedd yn ffitio yn union i'r patrwm arferol yn cael hyd yn oed fwy o sylw. A'r enghraifft amlwg o hynny i fi oedd un o chwaraewyr West Ham, Clyde Best. Roedd e'n dod o Bermuda ac yn un o'r chwaraewyr du cyntaf i chwarae pêl-droed ar y lefel uchaf. Ond fe gafodd amser anodd iawn gan ffans y timoedd a fyddai'n chwarae yn erbyn West Ham. Roedden nhw'n ei gyfarch drwy wneud sŵn mwnci, neu'n taflu bananas a chnau tuag ato ar y cae. Hiliaeth amlwg oedd hyn ac erbyn heddiw, diolch byth, mae wedi'i dileu bron yn llwyr.

Ond roedd yn rhywbeth yr oeddwn i yn ei brofi wrth wylio'r gêmau hefyd. Yn enwedig pan symudais o'r meinciau yn y Canton stand at y 'boys enclosure' yn y Grange End. Dyna gyfnod y 'skinheads'. Ac ar y teras, dyna lle roeddwn yn sefyll yn fy Doc Martens a'm fflares, fy wyneb du yn ceisio ffitio i mewn.

Pan oeddwn yn dilyn prentisiaeth yng Ngholeg y Barri, penderfynais fynd i wylio Caerdydd yn chwarae oddi cartre. Ffwrdd â fi, felly, i ddal bws y cefnogwyr oedd yn mynd i Oldham. Dechreuais fynd yn rheolaidd i gêmau oddi cartre wedyn. Doeddwn i erioed wedi bod cyn belled â gogledd Cymru cyn hynny, felly roedd mynd i fyny mor bell ag Oldham yn sicr yn brofiad newydd. Dyna lle roeddwn i'n sefyll yn browd gyda'r ffans eraill yn fy Doc Martens, 15 twll, yn aros am y bws! Camais arno ac fe glywais rywun yn gweiddi o'r cefn,

'We ain't takin no niggers!'

Doeddwn i ddim yn rhy siŵr beth i'w wneud. Ymhen rhai eiliadau daeth ail lais,

'Well, if he's got the balls to come on the bus he can stay with us.'

A dyna wnes i. Wedi cyrraedd Oldham, fe aeth Kev, fy ffrind, a fi i dafarn gyda'r ffans eraill. Roedd yn dafarn ddigon ryff, yn llawn o gymeriadau lliwgar. Yn sydyn, cafodd gwydr ei daflu at ffrind i ddyn du a oedd yn sefyll wrth y bar. Cydiodd hwnnw mewn crowbar a dechrau rhedeg ar ôl pawb. Tasgodd pawb allan o'r dafarn a rhedeg i lawr y stryd. Ond doeddwn i ddim yn gallu rhedeg yn ddigon cyflym, a chyn hir roedd y dyn du wrth fy ngwar a finnau'n ofni'r gwaetha.

Ond rhedodd heibio i fi a dechrau curo Kev. Wedyn trodd yn ôl ata i. Roeddwn i'n crynu ar lawr erbyn hyn ac yn disgwyl i'r bar fy nharo unrhyw funud. Edrychodd y dyn i lawr arnaf, a dweud,

'Don't be so soft. I wouldn't hurt one of our own!'

Ac i ffwrdd ag e. Hyd yn oed yn y cyfnod

11

hwnnw felly, roedd y lliw yn gallu bod yn fantais wedi'r cyfan.

O'r Aifft y daeth fy nheulu i Gaerdydd, a fi oedd y genhedlaeth gyntaf i gael ei eni a'i fagu yng Nghymru. Doeddwn i ddim yn siarad Cymraeg ar y pryd – dysgais yr iaith pan oeddwn yn hŷn. Roedd pethau eraill i'w deall ar y pryd. Ac roedd hiliaeth yn rhywbeth roedd yn rhaid i mi ddysgu dygymod â hi.

Nid bod diffyg hwyl i'w gael, o na. Un o'n hoff weithgareddau i oedd cymryd mantais o'r stands henffasiwn a oedd ym Mharc Ninian. Pan fyddai Caerdydd yn sgorio gôl, neu pan fyddai rhyw gyffro arall yn digwydd, byddai'r dynion yn y stand yn neidio ar eu traed. Wrth gwrs, wrth wneud hynny, byddai'r arian yn aml yn syrthio allan o'u pocedi, rhwng y gapiau yn y pren oddi tanyn nhw ac i lawr i'r gwagle o dan y stand. A dyna lle byddwn i ac eraill yn casglu'r newid wrth iddo ddisgyn ar ein pennau.

Ond nid arian yn unig oedd yn disgyn rhwng y trawstiau! Yn fwy aml na pheidio, dŵr a fyddai'n dod ar ein pennau. Y tro cyntaf i hynny ddigwydd, roeddwn i'n meddwl mai dŵr go iawn oedd y gawod annisgwyl. Hynny yw, tan i un o'n ffrindiau awgrymu mai rhywbeth arall oedd e – cyfraniad go wahanol gan y dynion uwch ein pennau!

Roeddwn yn ffan go iawn erbyn i fi anfon y llythyr, yn byw fy mhêl-droed ac yn anadlu Cardiff City! Ond wrth gydio yn y meic ar gyfer gneud y cyhoeddiadau yn fy ngêm gyntaf, roedd hyn i gyd y tu ôl i fi. Roedd disgwyl i fi nawr gyfrannu at brofiadau diwrnod y gêm i'r ffans – y cefnogwyr roeddwn i'n arfer sefyll gyda nhw. Ymlaen â'r gêm!

PENNOD 2

GÊM GYFEILLGAR YN ERBYN Crystal Palace cyn dechrau'r tymor oedd hi pan gydiais i yn y meic am y tro cyntaf. Ac roedd hynny'n newyddion drwg i fi. Nid y ffaith mai Palace oedd yn ein herbyn, ond y ffaith nad oedd hi'n gêm gynghrair. Roedd hynny'n golygu bod hawl gan y ddau dîm i ddefnyddio lot fawr o eilyddion. Felly, byddai lot fawr o gyhoeddi i'w wneud a lot fawr o enwau i'w cael yn gywir. A dyna ddigwyddodd. Rhoddodd Caerdydd chwe eilydd ar y cae. Ar un adeg doedd y pedwerydd swyddog ddim yn gwbod pwy oedd pwy na beth oedd yn digwydd! Ac ar ben hynny rhoddodd Crystal Palace yr un nifer o eilyddion ar y cae hefyd. Nawr, falle fod gobaith 'da fi i gael rhyw syniad o pwy oedd ambell un o fois Caerdydd gan mod i wedi sefyll ar y teras gymaint o weithie. Ond Palace? Dim gobaith!

Ac fe wnes i ddangos fy anwybodaeth hefyd. Wedi i un o fois Palace ddod ar y cae, a finnau heb unrhyw syniad pwy oedd e, fe wnes i droi at y boi oedd yn y caban gyda fi,

'Pwy uffarn oedd hwnna?' oedd fy nghwestiwn diamynedd.

14

Wel, os do fe! Roeddwn wedi anghofio cau'r meic. Ac yn fy acen Caerdydd amlwg, roedd pawb ym Mharc Ninian wedi clywed fy nghwestiwn ac yn chwerthin yn braf. Dechrau da!

Daeth rhywun oedd yn dod o'r Ffindir ymlaen i Palace wedyn. Chwaraewr canol cae a oedd yn ei dymor cyntaf gyda'r clwb. Doedd gen i ddim syniad sut oedd dweud ei enw. Wrth iddo ddod ymlaen, beth ddaeth allan o'm ceg oedd,

'Nawr foneddigion a boneddigesau, yn dod i'r cae i Crystal Palace mae Acky Racky Lacky!'

Ymhen peth amser wedyn des i adnabod cyhoeddwr tannoy Palace. Yn ystod un sgwrs a ges i ag e, cyfeiriodd at y gêm honno ac at y chwaraewr o'r Ffindir.

'Ma pawb yn y clwb yn cofio dy ymdrech di i ddweud, Aki Riihilatti! Rwyt ti'n enwog o hyd gyda ni am ddod mas gyda dy Acky Racky Lacky.'

Gêm gynta ddigon difyr felly. Yn enwedig pan ddaeth boi o China ymlaen i Gaerdydd! Ond, fe ddes i ben â phethau'n weddol. Roedd fy ngêm gynta drosodd. Yn ystod yr wythnosau canlynol, a finnau'n dysgu beth oedd beth, yn anffodus fe ges i lawer o feirniadaeth.

Dyw hi ddim yn bosib y marfer ar gyfer cyhoeddi ar ddiwrnod gêm. Rhaid dweud yr hyn sydd i'w ddweud ar y pryd pan fydd miloedd yn y dorf a'r ddau dîm ar y cae. Ond, roedd y beirniadu'n eithaf hallt. Doedd rhai o hen fois y 'Grandstand' ddim yn hoff o fy arddull. Doedden nhw ddim yn hoffi'r gerddoriaeth roeddwn i'n dewis ei chwarae cyn y gêm. Doedden nhw ddim yn hoffi fy jôcs – yn bendant ddim yn hoffi'r jôcs! Yn aml, byddai cnoc ar y drws gan ryw ffan neu'i gilydd i ddangos nad oedden nhw'n fodlon. Roeddwn yn amlwg yn perthyn i ddiwylliant gwahanol. Ac nid sôn am y ffaith fy mod yn dod o'r Aifft ydw i yn yr achos yma. Jyst math gwahanol o ffan i fois y stand. Ar y Grange End roeddwn i wedi torri fy nannedd pêl-droed. A boi'r Grange End oedd yn gwneud y cyhoeddiadau nawr.

Gydag amser, fe wellodd pethau. Dal ati oedd yr unig ateb, a'r clwb, diolch byth, yn barod i fi gario mlaen. Ymhen rhai wythnosau, roedd tad fy ffrind, Jeremy, yr un y byddwn i'n sefyll gydag e ar y teras, wedi marw. Yna, un dydd Sadwrn, daeth y gêm pan oedd e yno'n sefyll ar y teras heb ei dad am y tro cyntaf ers ei angladd. Roeddwn am wneud rhywbeth i godi ei ysbryd a rhoi gwên ar ei wyneb. Ac fe ddaeth syniad i'm meddwl. Yr un mor wallgo â'r llythyr gafodd y job i fi yn y lle cyntaf. Ond gobeithio'r un mor effeithiol hefyd.

Doeddwn i ddim yn siŵr a ddylwn i wneud yr hyn oedd gen i mewn golwg neu beidio, a dweud y gwir. Y tro hwn, doeddwn i ddim yn siŵr sut y byddai swyddogion y clwb yn ymateb, heb sôn am yr hen fois yn y stand! Ond, yn y diwedd, meddwl am Jeremy wnaeth i fi benderfynu cario mlaen. Felly, bant â fi.

Perchennog y clwb ar y pryd oedd y lliwgar Samir Hammam, neu Sam Hammam fel roedd e'n cael ei alw. Cymeriad dadleuol iawn oedd y dyn busnes yma o Libanus. Symudodd i Brydain yn y saithdegau. Aeth i fyw i Wimbledon am ei fod yn ffan mawr o chwarae tennis. Ond, buddsoddodd arian mawr yn nhîm pêl-droed Wimbledon. Dyna ddechrau cyfnod o lwyddiant i'r tîm digon di-nod hwnnw. Fe wnaethon nhw ddringo i entrychion y byd pêl-droed, ac ennill cwpan yr FA yn 1988. Ar ddiwedd 2000, prynodd fwyafrif o gyfranddaliadau Clwb Caerdydd. Penderfynais dalu teyrnged iddo fe. Felly, agorais y meic a heb fod yn hollol siŵr beth fyddai'n digwydd, ffwrdd â fi.

'Foneddigion a boneddigesau, mae'n siŵr eich bod chi i gyd yn ymwybodol o'n dyled i Sam Hammam. Mae wedi achub y clwb a'n harbed rhag diflannu'n llwyr o ganlyniad i'n trafferthion. Os gwelwch yn dda, codwch ar eich traed a gadewch i ni dalu teyrnged iddo gyda'n gilydd.'

Roedd yn sioc fawr i fi fod pawb wedi codi fel un dyn. Roedd y syniad yn magu bywyd ei hunan nawr. A'r miloedd ar eu traed o'm blaen, doedd dim dewis gen i. Roedd yn rhaid i fi gario mlaen!

'Hoffwn i chi ddweud y weddi yma gyda fi, os gwelwch yn dda.'

Dim ond yn y Saesneg gwreiddiol mae'r weddi yma'n gweithio go iawn, felly dyma beth roeddwn i'n disgwyl i'r dorf ei adrodd gyda fi:

'Our Sam, who art in Ninian Park
Hallowed be thy name
As it was at Wimbledon
Before they sold it.'

Roedd y chwerthin yn dechrau mewn ambell ran o'r dorf. Roedden nhw'n dechrau sylweddoli beth roeddwn ni'n ei wneud.

'Give us this season our promotion
And lead us not into relegation
And forgive us for our coin throwing
As we forgive those who throw coins against us!'

Roedd pawb yn chwerthin erbyn hyn. Dyna beth oedd golygfa anhygoel. Miloedd wedi dod i weld gêm bêl-droed a dyna lle roedden nhw'n sefyll o'm blaen yn clywed gweddi i berchennog y clwb! Roedd yr awyrgylch yn anhygoel.

'And by the power of the Ayatollah
(And of course his cheque book)
for ever and ever
Amen.'

Aeth y lle'n boncyrs, a phawb yn gweiddi hwrê. Roedd wedi gweithio, diolch byth. Ac roedd gen i fwy i ddod.

'Fe wnawn ni ganu emyn nawr, os gwelwch yn dda. Os oes gennych chi lyfr emynau newydd Lenny Lawrence, trowch i dudalen 442. Os oes gennych chi hen lyfr Alan Cork, trowch i dudalen 343, neu 433, neu 352!'

Unwaith eto, cymeradwyaeth gan y dorf a oedd yn deall yn iawn y cyfeiriad at dactegau'r cyn-reolwr Alan Cork, a threfniant y tîm ar y cae.

'Os oes gennych fersiwn hynach fyth, trowch i dudalen 811. Dyw'r geiriau ddim ar gael yn fersiwn Nadolig y rhaglen. Felly, dyma'r gerddoriaeth.'

Chwaraeais dôn 'Kum ba Yah' dros yr uchelseinyddion. Dechreuais ganu.

'Sam Hammam my lord, Sam Hammam...'

Ac unwaith eto, roedd pawb gyda fi. Mlaen â fi at y cam nesa felly. Doedd dim stop nawr.

'Ocê, pawb, gadewch i ni i gyd wneud yr Ayatollah gyda'n gilydd!'

A dyna lle roedd 12,000 o bobl yn uno yn nhrydedd ran fy 'oedfa' arbennig i Sam, trwy wneud arwydd y clwb, yr Ayatollah, sef curo'r ddwy law yn fflat ar y pen. Pawb, hynny yw, heblaw am ffans Blackpool, ein gwrthwynebwyr y diwrnod hwnnw. Felly, penderfynes droi atyn nhw wedi i ni orffen y rhan yna o'n defod ni.

'Some people have not joined in. Come on you sinners in Orange! Come on Blackpool! Do the Ayatollah!'

Gwrthod wnaethon nhw, wrth gwrs. Roedd ein ffans ni yn llwyr yn ysbryd a hwyl y digwyddiad erbyn hynny, ac fe wnaethon nhw droi i gyfeiriad ffans Blackpool a gweiddi 'Bŵ, bŵ!'

'Na, na,' meddwn i ar y meic, 'na, frodyr a chwiorydd, maddeuwch iddynt, gan nad ydynt yn gwybod beth y maent yn ei wneuthur. Dangoswch iddyn nhw beth i'w wneud.'

A dyma'r dorf yn gwneud yr Ayatollah eto gan droi i gyfeiriad cefnogwyr Blackpool. Gwrthod wnaethon nhw unwaith eto. Hynny yw, heblaw am un. Rhoddodd ei ddwylo ar ei ben a dilyn esiampl ffans Caerdydd.

'He has come over, ladies and gentlemen! Welcome him!'

A dyna ddod â'r ddefod arbennig yna i ben. Roedd lot o gyffro yn y stadiwm erbyn hyn. Ewfforia, a dweud y gwir. Roedd mympwy llwyr wedi arwain at ddigwyddiad unigryw cyn dechrau gêm bêl-droed. Dw i'n siŵr iddo roi gwên ar wyneb Jeremy.

Roedd eithaf ymateb i'r holl beth drwy gydol y penwythnos ar ôl y gêm hefyd. Negeseuon yn cael eu gadael ar y ffôn, ar y byrddau neges ac ati. Pawb yn dweud cymaint roedden nhw wedi mwynhau'r holl beth. Eraill nad oedd yn y gêm, yn dweud eu bod wedi clywed i rywbeth anarferol ddigwydd ac am wybod mwy am yr hyn roedden nhw wedi ei golli.

Bore Llun wedyn, mi ges i neges i fynd i mewn i'r clwb i gyfarfod. Doeddwn i ddim yn gwybod beth i'w ddisgwyl. Roeddwn yn hollol ansicr ynglŷn â beth fyddai'r ymateb. Pam roedden nhw wedi fy ngalw i mewn? Oeddwn i wedi mynd yn rhy bell? Trwy lwc, roedd swyddogion y clwb am wybod mwy eu hunain. Roedden nhw yn y stadiwm wrth gwrs, ond yn brysur yn gwneud eu gwaith priodol ar ddiwrnod y gêm. Felly doedden nhw ddim yn gwybod am bopeth ddigwyddodd. Roedden nhw am ddeall y rheswm dros yr holl gyffro.

Ond roedd un broblem. Roedd ficer yn y dorf yn ystod yr 'oedfa' i Sam, ac roedd wedi ysgrifennu llythyr i gwyno am fy ymddygiad. Dywedodd ei fod wedi bod yn y gêm pan gollodd Caerdydd o 10 i 0 yn erbyn rhywun flynyddoedd ynghynt, ond bod fy nghlywed i'n gneud sbort o Weddi'r Arglwydd y Sadwrn cynt yn fwy o gywilydd o lawer na'r golled honno. Awgrymodd y swyddogion y dylwn ymddiheuro yn y gêm nesa.

Ond o leia roedd gen i gêm nesa i gyhoeddi ynddi! Ches i mo'r sac. Na gorchymyn i beidio â gwneud pethau fel 'na eto.

Fel mae'n digwydd, doeddwn i ddim yn gallu mynd i'r gêm nesa. Roedd rhywbeth wedi'i drefnu gen i cyn derbyn gwaith Caerdydd. Ond roedd pawb yn meddwl fy mod wedi cael cerydd gan y clwb am fy antics, a'u bod wedi dweud ta-ta wrtha i.

Ond roedden nhw'n gwbod nad oedd hynny'n wir yn y gêm gartre yn dilyn honno. Dyna lle roeddwn i eto, 'nôl wrth y meic. Ac roedd yn rhaid i fi ymddiheuro.

'Foneddigion a boneddigesau, hoffwn ymddiheuro a phwysleisio nad oeddwn wedi golygu gwneud unrhyw beth maleisus yn erbyn yr Eglwys yn y gêm ddiwetha.'

Wedi saib am eiliad, mi es ymlaen.

'Doeddwn i chwaith ddim yn bwriadu bod yn gas wrth Fwslemiaid, Siciaid, Hindwiaid, Tree Huggers...'

Ac ymlaen â fi i restru rhes hir, hir o grefyddau amlwg a hollol 'bizzare' hefyd. Wel, roeddwn wedi ymddiheuro, on'd doeddwn?

Trwy hyn oll, doeddwn i ddim yn siŵr sut roedd y dyn ei hun yn ymateb i'r 'oedfa' yn ei enw. Doedd gwneud pethau rhyfedd ddim yn ddieithr iddo fe chwaith. Roedd Sam Hammam wedi gwneud cryn enw iddo'i hun drwy wneud y pethau rhyfedda tra oedd yn Wimbledon. *Fe* oedd wedi dechrau'r ddelwedd o'r Crazy Gang yno. Cyflwynodd ddefodau anarferol ar gyfer y chwaraewyr.

Pan ddechreuodd y Cymro John Hartson yno, rhoddwyd ei git newydd ar dân gan y chwaraewyr eraill. Addawodd Sam Hammam y byddai'n prynu camel i'r ymosodwr Dean Ashton petai'n sgorio 20 gôl y tymor hwnnw. Ac os oedd chwaraewyr yn chwarae'n wael, roedd yn bygwth mynd â nhw i'r opera fel cosb.

Daeth â'i agwedd wallgo i Gaerdydd hefyd. Wrth ddechrau yn y brifddinas, dywedodd ei fod am droi'r clwb yn glwb cenedlaethol Cymru. Roedd am newid enw'r clwb o Ddinas Caerdydd i'r Cardiff Celts ac am i'r chwaraewyr wisgo cit coch, gwyn a gwyrdd. Digon yw dweud na chafodd y syniadau yna eu derbyn!

Un peth roedd e wedi llwyddo i'w wneud yng Nghaerdydd, i fwy nag un chwaraewr, yn ôl y sôn, oedd gofyn iddyn nhw fwyta ceilliau dafad cyn arwyddo i'r clwb!

Felly, doedd tynnu coes a thamed bach o hwyl a sbri ddim yn rhywbeth newydd iddo fe. Tybed, felly, beth oedd ei ymateb i fi?

Daeth ataf a dweud iddo glywed am yr hyn a wnes i.

'Go for it,' meddai. 'You're as mad as I am! Have fun – and I'll protect you.'

Doedd dim edrych 'nôl felly.

PENNOD 3

ROEDD Y PATRWM WEDI'I sefydlu. Wrth gyhoeddi roeddwn yn ceisio dweud ambell beth mwy ysgafn wedi i fi ennill hyder. Roeddwn i hefyd yn cyflwyno cerddoriaeth oedd ychydig yn wahanol o bryd i'w gilydd. Mewn gwirionedd daeth y cyhoeddi yn sioe i fi fy hun a finne wrth fy modd y tu ôl i'r meic ym Mharc Ninian. A dweud y gwir, fel yna roeddwn i'n edrych ar yr holl beth. Roedd gen i brofiad o fod ar y radio ac o actio ac roedd bod y tu ôl i'r meic fel un sioe fyw o flaen tyrfa fawr. Doeddwn i ddim yn gweld unrhyw bwynt gwneud unrhyw beth arall, a dweud gwir. Diflas iawn fyddai jyst ishte'n fanna, darllen enwau'r timoedd, a dweud wrth bawb am fihafio.

Felly, gyda sêl bendith Sam y tu ôl i fi, roedd cyfle i symud pethau ymlaen ychydig. Go brin y byddai cyfle arall i wneud rhywbeth ar raddfa mor eithafol â thalu teyrnged i Sam Hammam am beth amser eto. Ond roeddwn yn glir ynglŷn â pha gyfeiriad i'w ddilyn. A gêm yn erbyn West Ham roddodd y cyfle cynta i fi.

Roeddwn wedi dewis fy nghaneuon yn ofalus. Yn gynta, croesawyd ffans yr ymwelwyr gyda'r gân 'My Ol Man's a Dustman'. Wedyn, cân arall yn syth ar ei hôl, sy'n dechrau gyda'r llinell 'There May be Trouble Ahead'. Yn nhrydedd llinell y gân, sef teitl y gân, roedd y geiriau mwyaf arwyddocaol, 'Let's face the music and dance!' Mae'n llinell sy'n cael ei hailadrodd trwy'r gân i gyd.

I'r rhan fwyaf ym Mharc Ninian, mae'n siŵr mai Nat King Cole neu Frank Sinatra ddaeth i'r meddwl wrth glywed y gân. Neu efallai Banc Allied Dunbar. Roedd fersiwn Nat King Cole o'r gân yn cael ei defnyddio ar hysbyseb teledu'r banc ar y pryd.

Ond roeddwn i'n gwbod bod gan y gân arwyddocâd ehangach i rai yn y dorf – grŵp o bobl o'r enw'r Soul Crew. Y rhain oedd yr hyn y gellid eu galw yn 'hardcore' cefnogwyr Caerdydd, gyda'r pwyslais ar yr 'hard'. Ers yr wythdegau, y Soul Crew yw'r grŵp o ffans Caerdydd sy'n gyfrifol am y trwbwl gwaetha mewn gêmau. Ma gan bron i bob tîm ei 'Soul Crew'. Y Millwall Bushwackers er enghraifft, neu'r Chelsea Headhunters a'r West Ham Inter City Firm.

Ond i ddod 'nôl at y gân. I'r Soul Crew, cyfeirio at ddawnsio oedd eu ffordd gudd nhw o gyfeirio weithiau ar y we at gwffio. Nawr, doedd gen i ddim bwriad o gwbl i annog ymladd. Dw i erioed wedi. Dw i ddim eisiau dechrau. Ond roeddwn i'n gwybod y byddai chwarae'r gân yn fy ngwneud i'n boblogaidd ymhlith eu criw nhw ac yn adloniant digon diniwed i bawb arall.

Wedi i'r gân ddod i ben, chwaraeais gerddoriaeth y rhaglen deledu 'Steptoe and Son', ac ymlaen â fi at y meic eto,

'Ladies and gentlemen, would the owner of the black and white shire horse in the car park please move it, along with the rag-and-bone cart it's attached to!'

Roedd pawb wedi mwynhau hynny'n fawr a bu chwerthin digon iach yn y dorf. Ond unwaith eto, doedd un person ddim yn hapus. Ac roedd e'n gweithio i bapur newydd y *Sun*.

Roedd gohebydd pêl-droed y papur yn y gêm ac ar ôl clywed fy sylwadau i, roedd am greu trafferth! Wedi mynd 'nôl i Lundain ar ôl y gêm, cysylltodd â FA Lloegr i ddweud wrthyn nhw beth roeddwn i wedi'i ddweud. Roedd am gael dyfyniadau i'w cynnwys mewn stori roedd am ei chynnwys yn y *Sun* ynglŷn â fi. Am yr un rheswm, cysylltodd â chyfarwyddwyr tîm West Ham. Awgrymodd wrthyn nhw fod fy ymddygiad yn gywilyddus ac yn dwyn anfri ar West Ham.

Cyhoeddwyd y stori yn y *Sun*, gan fy enwi i! Hei! Roeddwn wedi cyrraedd y papur sy'n gwerthu fwya trwy Brydain! Ond, roedd yn well na hynny hyd yn oed. Roedd West Ham wedi gwrthod derbyn awgrymiadau'r gohebydd. Doedden nhw ddim yn credu fy mod i wedi bod yn haerllug nac yn faleisus o gwbl. I'r gwrthwyneb, roedden nhw yn credu bod yr holl beth yn hwyl. Roedden nhw wedi cymryd y geiriau yn yr ysbryd ysgafn roeddwn i wedi'u dweud!

Yn well byth, cefais wahoddiad i fynd i stadiwm West Ham i gael taith o gwmpas y cyfleusterau yno. Y *Sun* wir! Doedd y stori ddim yn stori wedi'r cwbwl. Mae'n wir i'r papur gynnwys ychydig baragraffau nad oedd yn dweud dim mewn gwirionedd!

Ar y cyfan, rydyn ni, y rhai sy'n cyhoeddi ar ddiwrnod y gêm, yn cadw mewn cysylltiad â'n gilydd. Rydyn ni'n gofyn beth sy'n dderbyniol a beth na ddylid sôn amdano. Falle nad yw'n swnio felly – a doedd e ddim i foi'r *Sun*, mae'n amlwg! – ond rydyn ni i gyd yn ymwybodol o'r angen i beidio â chroesi'r llinell drwy fod yn anweddus neu'n rhy haerllug.

Roedd hynny'n wir yn ystod y gêm gwpan enwog rhwng Caerdydd a Leeds hefyd. Trydedd rownd cwpan yr FA, Ionawr 2002. Leeds oedd ar ben yr Uwch Gynghrair bryd hynny, a'r capten oedd yr enwog Rio Ferdinand. Ac roedd Woodgate, Bowyer, Fowler, Smith a Viduka yn y tîm hefyd. Ar y pryd, roedd Caerdydd yn yr Ail Adran.

Daeth y gêm yn enwog oherwydd y trafferthion

gwahanol a fu yn ystod, ac ar ôl, y gêm. Ond doedd dim arwydd o hynny ar y dechrau. Ac yn ôl fy arfer, roeddwn i'n barod i 'groesawu' yr ymwelwyr yn fy ffordd gynnes fy hunan!

Roeddwn yn gwybod mai cân Leeds oedd 'Marching on Together'. Felly chwaraeais y gân yn gynnar iawn. Does dim angen dweud, fe gafodd hi groeso da iawn gan fois Leeds am yr ychydig fariau cynta. Do, tan i fi gymysgu cân arall gyda hi – cân y 'Four Yorkshiremen' gan Monty Python! Trwy gydol eu hanthem nhw felly, roedd cyfraniadau gan griw Monty Python yn sôn am 'handful of hot gravel', 'we lived in t' shoe box in t' middle o' road' a'r gytgan gyson, 'you were lucky!'

Pan ddaeth yn amser darllen pwy oedd yn chwarae i dîm Leeds y diwrnod hwnnw, dechreuais chwarae Symffoni'r Byd Newydd gan Dvořák – neu gerddoriaeth hysbyseb Hovis i chi a fi! Ac i gyfeiliant y gerddoriaeth honno, fe wnes i gario mlân gydag acenion bois Monty Python.

'No 1 for Leeds, well that'll be…'

Ac yn y blaen. Amrywiais y darllen ambell dro gyda:

'In t' defence…'

'In t' midfield…'

Roedd tîm Leeds ar y cae yn barod yn cynhesu fyny, ac roedd ambell un yn edrych i fyny ata i.

Roedd yn rhwydd gweld yr olwg, 'pwy yw'r boi hyn?'

Ac yna wrth gwrs, pan ddaeth tîm Caerdydd i'r cae, chwaraeais gerddoriaeth hapus, fywiog! Roedd y stadiwm yn grochan o sŵn a gweiddi a chanu. A'r cyfan yn yr hwyliau gorau posib.

Falle bod rhai ohonoch yn cofio'r gêm honno. Llwyddodd Caerdydd o'r Ail Adran i guro'r tîm ar frig y brif adran. Roedd hynny'n gofiadwy. Ond hefyd bu cryn helynt ar ôl y gêm a'r dyn ei hun, Sam Hammam yng nghanol y ffrae.

Roedd yn arfer ganddo fe gerdded o gwmpas y stadiwm cyn dechrau gêm, er mwyn annog y cefnogwyr a dangos ei fod yn un ohonyn nhw mewn ffordd. Dw i ddim yn gwybod am un cadeirydd arall sy'n gwneud hynny! Ac wrth gwrs fe wnaeth hynny cyn gêm Leeds hefyd. Rhedodd nôl a blaen o flaen y teras. Ond yn anffodus pan aeth heibio ffans Leeds, dechreuodd rhai daflu pethau ato a phoeri arno. Roedd hynny'n gwbl groes i awyrgylch y diwrnod hyd hynny ac yn gwbl groes i agwedd Sam ei hun.

Ond fe aeth yn ei flaen a nôl at ffans Caerdydd gan ychwanegu'r Ayatollah at ei stumiau.

Y gred boblogaidd ers hynny yw mai Sam Hammam ddechreuodd yr Ayatollah. Ond dyw hynny ddim yn wir. Mae wedi bod yn rhan o fywyd ffans y clwb ers 1990. Roedd un grŵp

Cymraeg arbennig, U Thant wedi gwneud arwydd drwy guro'r ddwy law ar dop y pen yn ystod gìg yng Nghanolfan Chapter ym mis Chwefror y flwyddyn honno. Roedden nhw wedi gweld miloedd o bobl yn gwneud yr arwydd yn ystod angladd yr Ayatollah Khomeini yn Iran. Y gêm gynta a chwaraeodd Caerdydd wedi'r gìg honno oedd i ffwrdd yn erbyn Lincoln. Am ryw reswm, dechreuodd rhai o'r ffans wneud yr un arwydd, a dyna ni. Mae'n rhan o chwedloniaeth Dinas Caerdydd erbyn heddi. Erbyn hyn mae'r Ayatollah i'w weld hefyd ar y cae rygbi. Mae Gareth Thomas, y Cymro cyntaf i ennill cant o gapiau dros ei wlad, yn gwneud yr arwydd bob tro bydd e'n sgorio cais. Ac rydyn ni hyd yn oed wedi gweld cyn Brif Weinidog Cymru, Rhodri Morgan, yn gwneud yr Ayatollah! Ond, 'nôl at gêm Leeds.

Doedd dim angen i Sam Hammam ofyn ddwywaith i'r ffans ddangos eu brwdfrydedd. Fe ddechreuon nhw weiddi ar ffans Leeds. Dechreuodd yr herio arferol hefyd. Wedi i'r gêm orffen roedd lot o wrthdaro rhwng rhai o'r cefnogwyr. Yn y diwedd gwnaeth Leeds gyhuddo Sam o gorddi pethe. Daeth i sylw'r FA yn ogystal ag FA Cymru, a chafodd y clwb ddirwy ond dim cyhuddiad penodol o achosi ymladd na dim felly.

Falle fod ambell un wedi mynd dros ben llestri, ond mae'n rhaid dweud ei bod hi'n braf gweld cadeirydd â chymaint â hynny o dân yn ei fol! Rhyfedd meddwl mai cadeirydd Leeds ar y diwrnod hwnnw oedd Peter Ridsdale, cadeirydd Caerdydd yn awr!

Doedd dim awgrym fod unrhyw beth wnes i cyn y gêm i godi hwyl a chreu awyrgylch wedi cyfrannu at y drwgdeimlad. Fyddai hynny ddim yn digwydd. Bydda i'n cysylltu â chyhoeddwyr tannoy y timau eraill yn aml. Ac ar fore'r gêm yn erbyn Leeds roeddwn wedi siarad â Darren, eu cyhoeddwr nhw. Awgrymais pa fath o beth roeddwn am ei wneud a doedd ganddo fe ddim problem gyda hynny o gwbl. Mae hynny'n dweud lot am agwedd – a hiwmor – ffans pêl-droed. Yn barod iawn i gael laff. Yn barod iawn i gael sbri ar ddiwrnod y gêm.

Pan ddaeth tîm Brighton i Gaerdydd, er enghraifft, roeddwn am gyfeirio at y ffaith mai Brighton yw prifddinas hoywon Prydain. Felly, 'YMCA' oedd y gân amlwg i chwarae. Gofynnais i gyhoeddwr Brighton os byddai hynny'n iawn. Dywedodd ei fod yn ddewis ychydig yn amlwg. Erbyn hynny roedd y ffans eu hunain wedi dechrau'r canu a'r sbri.

'Does your boyfriend know that you're out?' oedd cân ffug-wawdlyd ffans Caerdydd.

Ac yn ôl daeth cyfraniad Brighton,

'You're too ugly to be gay...!'

Dim prinder gallu i wneud sbri em eu pennau eu hunain felly, fel sy'n wir 'da pob grŵp o ffans a dweud y gwir!

Ac yna roedd yn rhaid i fi gyfrannu.

'Foneddigion a boneddigesau, mae gen i neges arbennig oddi wrth ffans Brighton i ffans Caerdydd...'

A dechreuais chwarae,

'I want to take you to a gay bar, gay bar...!'

Roedd pawb yn ddigon hapus. Ac yna, penderfynais chwarae cân y Folies Bergiere ond wedi ychydig fariau'n unig, cefais gais gan yr heddlu i beidio a chwarae'r gân arbennig honno! Pam bod honno'n wahanol i'r canu a fuodd cynt, dw i dal ddim yn gwbod.

Wedi dweud hynny, dwi wedi defnyddio'r tannoy i dynnu coes yr awdurdodau weithiau. Yn wir, dwi wedi cyflwyno caneuon i'r heddlu a'r stiwardiaid, fel 'I Predict a Riot' gan y Kaiser Chiefs ac 'I Fought the Law' gan y Clash. Ar ben hynny, mae sawl cyhoeddiad wedi cael ei wneud sy'n tynnu coes fel,

'Ladies and Gentlemen, it is illegal to enter the field of play. If you do so our stewards will eject you from Ninian Park. I warn you our stewards do not know the meaning of the word 'fear'. In fact we only employ them because they don't know the meaning of most words.'

Mae'n demtasiwn cyfrannu at y corddi go iawn weithiau. Falle mai'r agosa i fi ddod at wneud hynny oedd y gêm yn erbyn Stoke City un tymor. 'Delilah' yw eu cân nhw. Ond yn fwriadol, fe chwaraeais 'The Wonder of You' – sef cân eu prif elynion, Port Vale!

Ac er i mi eu poeni fel'na, pan gafodd ffans Caerdydd eu gwahardd o stadiwm Wolves am gyfnod, daeth nifer fawr o ffans Stoke draw i'n cefnogi ni pan roedden ni'n chwarae yn Wolves. Dweud y cyfan ond dydy?

Ambell waith bydda i'n cyfeirio at straeon o fyd y newyddion yn fy sylwadau. Yn wynebu Caerdydd, roedd gêm yn erbyn Notts Forest a hynny wedi cyfnod hir iawn heb i'r ddau glwb gyfarfod. O bosib, hon oedd y gêm gynta ar ôl i streic y glowyr ddod i ben yn 1985. Dydw i ddim yn hollol sicr o hynny ond roeddwn i'n benderfynol o gynnwys cyfeiriadau at y streic yn fy nghyflwyniad. Pam? O achos fod grŵp o lowyr wedi ffurfio eu hundeb eu hunain ym maes glo Nottingham a thorri streic Undeb y Glowyr go iawn.

Yn ogystal, felly, â'r hyn y byddwn wedi'i wneud fel arfer, sef chwarae cân y gyfres deledu, *Robin Hood* neu sengl Bryan Adams o'r ffilm, fe chwaraeais gân arall hefyd. A doedd gan ffans Fforest ddim syniad beth roeddwn i'n cyfeirio ato! Drwy'r uchelseinyddion daeth, 'You won't get me, I'm part of the union till the day I die!' A chyn bo hir, roedd ein ffans ni'n canu hefyd. Yn wahanol i ffans Forest y diwrnod hwnnw, roedd cysylltiad digon agos rhwng ein bois ni a'r cymunedau glo. Roedden nhw'n dal i gofio'n fyw iawn am y streic. Cyn hir, roedden nhw'n bloeddio 'Scabs! Scabs! Scabs!'

Ond mae'n rhaid gwbod pryd i beidio chwarae cân hefyd. Mewn un gêm yn erbyn Bristol City roeddwn am gyfeirio at 'combine harvester'. Naill ai chwarae cân y Wurzels neu wneud cyhoeddiad yn gofyn i berchennog y 'combine harvester' yn y maes parcio ei symud. Ond roedd yn amlwg fod awyrgylch gas yn y gêm. Gwell fyddai peidio â mentro ac fe adawais i bethau fod.

Trueni fod ambell un yn difetha'r hwyl a'r banter naturiol sydd rhwng y clybiau. A thrueni fod yr awdurdodau wedyn yn ymateb i'r ychydig hynny sy'n mynd dros ben llestri, fel petaen nhw'n creu'r darlun cyfan. Diolch byth, dydyn nhw ddim!

PENNOD 4

DOEDD DIM STOP AR anogaeth Sam Hammam. Daeth ata i cyn gêm yn erbyn un o'r timau o Loegr.

'Ali, it's St George's Day. Let's wind the English up!'

Roedd e'n ddireidus tu hwnt. Ond ddim yn gas. Chwareus oedd e mewn gwirionedd, fel rhyw fath o wncwl gwirion.

'I can't do that, Sam!' medde fi.

'Yes you can, I own this club!' oedd yr ateb ddaeth 'nôl.

Ond, wnes i ddim yr adeg honno. Roedd yn well peidio, er bod perchennog y clwb wedi dweud wrtha i am neud!

Doedd dim angen i neb ofyn i fi fanteisio ar gyfle i gorddi ffans yr hen elyn Abertawe, fodd bynnag! Doedd hynny ddim yn broblem o gwbl! Doedd dim cyfle cyson i chwarae yn eu herbyn nhw am nad oedden ni yn yr un adran. Ond, roedd Cwpan FA Cymru yn cynnig cyfle o bryd i'w gilydd. Un flwyddyn, roedd Caerdydd yn chwarae yn erbyn Abertawe yn y Ffeinal!

Mae'n hen elyniaeth rhwng y ddau glwb. Ac fe aeth gam ymhellach pan gymrodd John Toshack drosodd fel rheolwr yr Elyrch. Bron bod y casineb

yn ei erbyn e yn fwy nag yn erbyn Abertawe.
Roedd wedi chwarae i Gaerdydd ond dewisodd
y clwb ei werthu am arian mawr i Lerpwl ar
ddechrau'r saithdegau. Wedi iddo orffen gyda'r
clwb hwnnw, dangosodd ddiddordeb i fod yn
rheolwr Caerdydd. Ond doedd y clwb ddim ei
eisiau bryd hynny chwaith. Aeth at Abertawe a
rheoli'r hen elyn!

Ar ben hynny, yng nghyfnod y Ffeinal, roedd
Abertawe'n mynd trwy drafferthion ariannol
mawr iawn. Roedd sawl un wedi ceisio datrys y
broblem. Ond cafwyd cyfnod hir o berchnogion
a chadeiryddion gwahanol a doedd pethau ddim
yn dda iddyn nhw o gwbl. Cyfle gwych, felly, i
gymryd mantais!

Ar ddechrau'r gêm gartre yn erbyn Abertawe,
fe wnes i ddarllen ambell neges o gefnogaeth gan
rai o arweinwyr mwyaf enwog y byd!

'Foneddigion a boneddigesau, mae rhai pobl
wedi cysylltu â ni er mwyn anfon eu dymuniadau
gorau ar ddiwrnod mor bwysig.

'Daw'r cynta oddi wrth Yasser Arafat yn
Palesteina. Mae'n dweud, "Cyfarchion i chi i
gyd. Ar hyn o bryd rydw i wedi fy amgylchynu
gan fomiau a missiles a thanciau di-ri ond mae
'nghalon i gyda chi. Once a blue, always a
blue!"'

Cafwyd yr ymateb brwdfrydig arferol gan y

ffans yn y stadiwm, ac ymlaen â fi at yr ail.

'Daw'r nesa gan Kofi Annan o'r Cenhedloedd Unedig. "Diolch i'r Soul Crew am eu hymgyrchoedd i gadw'r heddwch ar hyd a lled Prydain!"'

A gan nad oeddwn am anwybyddu Abertawe yn llwyr, roedd y drydedd yn arbennig iddyn nhw!

'Ac mae un neges, foneddigion a boneddigesau, yn dod yr holl ffordd o Awstralia. Mae'n dweud, "Good luck in the FAW Final, I've done my job, now you do yours!" Ac mae'r neges yna gan, ie, Tony Petty!'

Aeth y dorf yn wallgo. Tony Petty oedd y dyn wnaeth greu'r trafferthion mwya i Abertawe pan werthodd y clwb. Ar un adeg fe gyhuddodd ei ffans ei hun o fod yn hiliol a'u bod yn ei erbyn am ei fod e'n dod o Lundain! Roedd y ffans ym Mharc Ninian y pnawn hwnnw i gyd ar eu traed wedi i fi ddarllen cyfarchiad ganddo fe'n cyfeirio at y llanast a wnaed ganddo yn Abertawe. Ac wrth gwrs, roedden nhw wrth eu bodd â'r anogaeth i orffen y gwaith roedd e wedi'i ddechrau, i ddinistrio'r clwb!

Ond doedd e ddim yn gyfnod arbennig i ni yn yr wythnosau cyn y Ffeinal chwaith. Roedden ni newydd golli i Stoke yn y gêmau ail-gyfle. Ac roedd ffans Abertawe wrth gwrs yn gwybod hynny ac yn barod i gynnig y gwadio arferol! Ac fe ddaeth!

'You're not going up, you're not going up, Scum, Scum, Scum...'

Wel, doeddwn i ddim yn mynd i ganiatáu iddyn nhw siarad fel'na gyda'n bois ni! Felly ar y funud ola, dewisais gân nad oeddwn wedi ei pharatoi ymlaen llaw, sef cân Chcr, 'Gyspies Tramps and Thieves'.

A chafodd ei dilyn gan 'Money's too Tight to Mention'! Wrth i 'talking about money, money' atseinio drwy'r stadiwm, cnociodd rhywun ddrws fy nghaban i dynnu fy sylw. Roeddwn i wrthi'n ysgrifennu nodiadau neu rywbeth. Edrychais i fyny a dyna lle roedd ffans Caerdydd yn chwifio darnau arian papur fel un dyn i gyfeiriad ffans Abertawe!

Ac ymateb Abertawe? Chwerthin yn iach. Roedd e'n grêt i weld. Dyna fel y mae a dweud y gwir, er gwaetha'r holl sôn am gwffio ac ati. I'r rhan fwya, banter iach sydd rhwng y ddau dîm. Rydw i'n ffrindiau da gyda Kev Johns sy'n cyhoeddi yng ngêmau'r Swans ac mae'r ddau ohonom yn sgwrsio yn aml er mwyn sicrhau beth allwn ni ddweud neu beidio yng ngêmau'n gilydd.

Ma Kevin Johns yn ddigon cheeky i'm dynwared i'n dweud, 'Support the boys...' yn ystod gêmau yn Stadiwm Liberty gan ddefnyddio llais gor-ferchetaidd!

Un cyswllt arall rhwng y ddau glwb yw menyw o'r enw Jackie Rockey. Roedd hi'n arfer bod yn ysgrifennydd clwb Caerdydd ac mae nawr yn gwneud yr un gwaith yn Abertawe. Dw i'n siarad â hi yn gyson hefyd ynglŷn â pha mor bell alla i fynd gyda'r banter.

Er gwaetha'r poeni a'r pryfocio, roedd ysbryd pêl-droed wedi dod i'r amlwg hyd yn oed mewn gêm fel Ffeinal Cwpan FA Cymru. Oherwydd bod Abertawe ar eu gliniau yn ariannol, roedd Sam Hammam wedi talu am y bysys i gario pawb o Abertawe i'r gêm, y chwaraewyr a'r cefnogwyr. Dyna chi arwydd o haelioni ac o ysbryd iach.

Dyw'r ysbryd hwnnw ddim wastad mor amlwg, yn anffodus. Yn sicr doedd e ddim yno wrth i mi weithio i Gymdeithas Bêl-droed Cymru yn ystod gêm ryngwladol yn Stadiwm Liberty, Abertawe. Roedd gen i bob 'pass' roedd ei angen arnaf i fynd i bob man. Roeddwn hefyd yn gwisgo cot a chrys yr FAW.

Ond, ble bynnag roeddwn yn mynd, roedd pob swyddog diogelwch yn fy stopio i ac yn gofyn am gael gweld y dogfennau perthnasol. Bob tro. Ym mhob drws. Ar ôl peth amser roedd hyn yn dechrau fy mlino i. Yn enwedig gan nad oedd neb arall yn derbyn y fath driniaeth. Gofynnais i un o swyddogion yr FA pam roedd hyn yn digwydd. Doedd e ddim yn hapus pan glywodd am fy nghwyn. Cysylltodd â rheolwr y stadiwm ac fe ddaeth stop ar yr holl holi di-baid.

Roeddwn i'n dal ddim yn deall pam mod i wedi cael fy nhrin yn wahanol i bawb arall. Ond fe ddaeth esboniad cyn hir. Roedd yn ymwneud â chyhoeddiad a wnes i ym Mharc Ninian rai wythnosau ynghynt. Yn ystod un o gêmau Caerdydd, roeddwn i wedi hysbysebu gêm ryngwladol nesa Cymru, a oedd i gael ei chwarae yn Abertawe.

'Foneddigion a boneddigesau, hoffwn dynnu eich sylw at gêm nesa Cymru yn y Caravan Park, o, sorri, yn Stadiwm Liberty, Abertawe…'

Ac yn naturiol ddigon roedd ffans Caerdydd yn chwerthin yn iach wrth glywed hyn. Mae'n hen arferiad i gysylltu Abertawe â chymuned y sipsiwn. Dyna pam y chwaraeues i gân Cher yn y ffeinal y soniais amdani yn gynharach. Ond sut roedd y staff yn Abertawe yn gwybod am hyn?

Wel, fe ddaeth i'r amlwg fod gan ryw 50 o ffans y Swans docynnau tymor yng Nghaerdydd yn ogystal. Pam? Does gen i ddim syniad! Ond fe aeth y neges 'nôl wedyn i'r Liberty. Aeth y gair ar led. Doeddwn i ddim i fod i gael croeso rhy dwymgalon. Hynny yw tan i'r FAW ymyrryd a

41

dod â phethau 'nôl i normal.

Yr wythnos ganlynol felly, a finnau 'nôl ym Mharc Ninian, dyma fanteisio ar y cyfle i ymddiheuro. Wel, rhyw fath o ymddiheurad!

'Mae'n ymddangos mod i falle wedi ypsetio rhai pobl yr wythnos diwetha,' meddwn i ar y tannoy. 'Mi wnes i sylw anffodus o dop fy mhen ynglŷn â chysylltu Stadiwm Liberty â pharc carafannau. Roedd yn gwbl ddamweiniol, wrth gwrs. Mae hynny'n amlwg. Hoffwn gymryd y cyfle yma i ymddiheuro i unrhyw aelod o'r gymuned deithiol sy'n digwydd bod yma heddi, am i fi feiddio'u cysylltu nhw â'r lle yna draw yn y Gorllewin!'

Mae'r stori yna'n enghraifft o fethu derbyn y tynnu coes yn yr ysbryd roeddwn i wedi'i fwriadu. Falle i fi fynd yn rhy bell y tro hwnnw. Ond, rydyn ni i gyd wedi gorfod cymryd llawn cystal yn ôl heb wneud unrhyw ffys. Dyna i gyd ddweda i!

Ac mae'n rhaid i fi gwyno am un peth arall dw i jyst ddim yn ei ddeall. Dydyn ni, fel timau pêl-droed, fel arfer, ddim yn dwyn caneuon ein gilydd rhyw lawer. Dydyn ni ddim chwaith yn dwyn yr hyn y bydd y ffans yn ei floeddio o'r teras. Un peth ddechreuais ei wneud yn gynnar oedd defnyddio'r un ymadrodd ar ddechrau pob gêm wrth i'r chwaraewyr baratoi i ddechrau'r gêm.

'Support the boys – and make some noise!'

Ac fel arfer erbyn i fi ddweud 'boys', bydde'r dorf yn ateb fi 'nôl gydag ail ran y frawddeg. Pwy sy'n gwneud hynny erbyn hyn hefyd? Ie, chi'n iawn!

Mae'r un peth wedi digwydd gyda'r canu hefyd. Ond cyn sôn am hynny, rhaid i fi esbonio bod Caerdydd wedi benthyg cân tîm arall unwaith. Ond roedd rheswm am hynny! Y gân sy'n cael ei chysylltu â ni yw 'Men of Harlech', y gân a wnaed yn enwog gan Ivor Emmanuel yn y ffilm *Zulu*. A bod yn hollol onest, Wrecsam oedd y tîm cyntaf i'w chanu mewn gêmau. Ond, fe gyflwynwyd y gân i Barc Ninian, dw i'n credu, yn y cyfnod pan oedd Sam Hammam am greu tîm Celtaidd allan o dîm Dinas Caerdydd. Ac erbyn hynny, doedd Wrecsam ddim yn ei chanu.

Sioc, felly, oedd clywed y gân ar Gae'r Vetch un diwrnod. Pam? Ni bia'r gân yna! Fe wnaeth yn union yr un peth ddigwydd gyda 'Singing the Blues'. O ble daeth y gân yna? Dave Edmunds, gitarydd roc heb ei ail, arweinydd y grŵp Rockpile ac o ble mae e'n dod? Caerdydd.

'Never felt more like singing the Blues' oedd i'w glywed ar y teras o'r saithdegau ymlaen. 'When Cardiff win and Swansea lose, oh Cardiff, you got me singing the Blues!'

Ac yna pawb yn gorffen gyda 'Blues! Blues! Blues!' yn cael ei weiddi'n uchel a chyflym.

Profiad od iawn oedd sefyll yn y Vetch a chlywed Abertawe'n canu,

'When Swansea win and Cardiff lose, you got me singing the Blues!'

Wnaeth fi a'n ffrindiau troi at ein gilydd a dweud Beth? Pwy sy'n wyn a pwy sy'n las fan hyn?

I fynd 'nôl at 'Men of Harlech'. Dyna'n hanthem ni, ie. Ond mae wedi bod yn anodd iawn i gael pawb i ganu'r gân cyn gêm. Rydyn ni wedi trio popeth. Rhoi'r geiriau ar y sgrin, yn y rhaglen ar ddiwrnod gêm a sawl ffordd arall. Mae'r gân yn dal i gael ei chwarae. Ond beth sy'n dod 'nôl gan y ffans yw,

'Dyh, dyh dyh, dyh dyh dyh!' – o'r dechrau i'r diwedd.

A gan mai fel 'na mae'n amlwg mae pethau'n mynd i fod, falle mai ofer yw ceisio gorfodi pawb i ddefnyddio'r geiriau erbyn hyn. Dw i'n credu y dylen ni arwain pawb drwy'r meic i ganu fel 'na a jyst cael laff gyda fe. Ond geiriau neu beidio, cân yr Adar Gleision yw 'Gwŷr Harlech'.

PENNOD 5

LAI NA CHWE MIS ar ôl dechrau gyda'r Adar Gleision, ces alwad yn ymwneud â swydd arall. Tybed beth oedd gan y clwb i'w ddweud wrtha i'r tro hwn?

Newyddion da, diolch byth! Roedd wedi cael cais gan Gymdeithas Bêl-Droed Cymru. Roedden nhw am i fi wneud y cyhoeddi yn ystod gêmau Cymru yn Stadiwm y Mileniwm. Yn naturiol roeddwn i'n ddigon bodlon gwneud hynny!

Mi wnes gryn argraff yn ddigon cynnar yn fy ngyrfa ryngwladol. Ond nid y fath o argraff y byddwn wedi dymuno'i gwneud. Roedd Cymru'n chwarae'r Ariannin. Daeth hanner amser ac roedd Cymru ar y blaen o gôl i ddim. Yn ystod yr egwyl roeddwn i'n darllen y cyfarchion pen-blwydd ac ati. Daeth un o'm blaen yn dweud, 'Pen-blwydd hapus i hwn a hwn, sydd yma heddi'n mwynhau'r gêm yn erbyn yr Ariannin.' Beth ddwedes i?

'Pen-blwydd hapus i hwn a hwn sydd yma heddi'n mwynhau'r fuddugoliaeth yn erbyn yr Ariannin.'

Ac wrth gwrs roedd pawb yn chwerthin. Ond i wneud pethau'n waeth ar y pryd, doeddwn i ddim yn cofio'r cyngor ynglŷn â phalu twll i mi fy hun. Felly ymlaen a fi.

'Wrth gwrs, dw i'n cyfeirio at y fuddugoliaeth yn yr hanner cynta! Rydyn ni wedi ennill yr hanner cynta, ymlaen â ni i ennill yr ail hanner!'

O leia roedd pawb mewn hwyliau da ar ôl clywed fy nghamgymeriad a'r ymdrechion i ddod allan ohoni ond a oedd, mewn gwirionedd, wedi gwneud pethau'n waeth!

Roedd yr un agwedd gan yr FAW ag a oedd gan Sam Hammam, er efallai ddim yr awydd i fynd â phethau mor bell â Sam. Roedden nhw am greu mwy o ddiddanwch ar ddiwrnod gêm er mwyn gwella'r awyrgylch. Dyna oedd dymuniad rheolwr Cymru ar y pryd hefyd, sef Mark Hughes.

Un cais penodol ges i oedd mynd yn gyfrifol am drefnu bandiau amrywiol i chwarae ar y cae cyn y gêm. Dim problem! Roedd un dewis amlwg yn y cyfnod hwnnw, sef y bois o Gasnewydd, Goldie Lookin' Chain. Fe wnaethon nhw gytuno i chwarae cyn y gêm yn erbyn Lloegr. Ac fe gymrodd y bechgyn fantais lawn o'r digwyddiad, a dweud y gwir.

'Hello, Cardiff! Do you want to listen to boys in track suits singing karaoke?'

Ac i ffwrdd â nhw gyda'u hegni arferol. Daeth yn amser y gân ola. Ac roedden nhw am gyflwyno'r gân i un person yn benodol.

'Do you want one more song? Hope you do stay for the football and this is a new one from us. Specially dedicated to our old friend, Victoria Beckham. She likes to drink:'

'I seen you last night, you were drinkin' in the pub…'

Ac ymlaen a'r gân hyd at y gytgan,

'Oh son, your missus is a nutter!
Oh son, your missus is a nutter!
Oh son, your missus is a nutter!
Leave her alone! Your missus is a nutter!'

O fewn 'throw-in' i ble roedd y band yn canu hyn, roedd David Beckham a gweddill tîm Lloegr ar y cae yn cynhesu cyn y gêm!

'Binge drinking, binge drinking,
Tried keeping up with your missus, what was I thinking?
She looks like Caprice,
But it's a shock to see her wrestling two police,
With one in a headlock!'

Ac yna, erbyn diwedd y gân, troi at dîm Lloegr ac at Beckham yn benodol gan annog y dorf i ganu gyda nhw,

'Oh son, your missus is a nutter!'

Wel, gallwch chi ddychmygu'r ymateb! Roedd yn ocê yn y stadiwm ac fe aeth y gêm ymlaen yn iawn. Ond wedi hynny, dechreuodd pethau boethi. Ces alwad ffôn gan Goldie Lookin' Chain yn syth ar ôl y gêm. Dywedon nhw fod David Collins, pennaeth yr FAW, wedi bod yn siarad â'r papurau ac yn ymddiheuro o waelod calon i David Beckham. Dywedon nhw hefyd ei fod yn gobeithio nad oedd Beckham yn credu bod yr FAW yn ei wawdio mewn unrhyw ffordd o gwbl.

Ymateb Beckham ei hun i hyn oll yn y lle cynta oedd dweud nad oedd e wedi sylwi ar gân y grŵp, Goldie Lookin' Chain. Wedyn ar ôl iddo sylweddoli ei fod e wedi clywed y gân wedi'r cyfan neu ar ôl iddo wrando ar recordiad ohoni, dywedodd ei fod yn credu bod yr holl beth yn eitha doniol. Chwarae teg iddo fe am wybod sut mae chwerthin ar ei ben ei hun.

Wedi i'r storom dawelu rhywfaint, ffoniodd Goldie Lookin' Chain fi eto. Roedd un cwestiwn ar eu meddwl.

'Ali, do you think we'll be banned from the stadium now?'

'Boys,' medde fi, ' consider yourselves banned! There's no way they'll ask you back now.'

Hyd heddi, mae'r grŵp Goldie Lookin' Chain yn defnyddio'r ffaith na fyddan nhw'n cael gwahoddiad i ganu yno eto fel rhan o'u cyhoeddusrwydd. Iddyn nhw, mae'n anrhydedd ar eu bathodyn! Ac er clod iddyn nhw hefyd, nhw oedd yr unig fand ges i i'r stadiwm wnaeth ganu'n fyw.

Doedd yr FAW ddim wedi rhoi unrhyw gyfrifoldeb arna i am yr hyn wnaeth Goldie Lookin' Chain, felly fe ges i aros. Roedd yn grêt i fod yn rhan o rywbeth mor gyffrous, a dweud y gwir. Roedd 'buzz' go iawn i gêmau Cymru ar y pryd. Roedd yr FAW, pobl Stadiwm y Mileniwm a Mark Hughes yn tynnu gyda'i gilydd i greu diwrnod da i'r ffans. Roedd y tocynnau'n rhad – £10 a £5, ac roedd lot fawr o blant yno hefyd. Felly, roedd y stadiwm fel arfer yn llawn. Sylw cyson ges i oedd un gan rieni a oedd yn gwerthfawrogi'r ymdrechion i ddiddanu'r plant.

Cyn hynny roedd yna duedd gan y plant i ddefnyddio cyrn i greu sŵn ofnadwy. Doedd dim modd eu tynnu oddi arnyn nhw, felly roedd yn rhaid meddwl am greu pethau eraill iddyn nhw eu gwneud. Ac fe weithiodd. Trwy roi adloniant amrywiol iddyn nhw a'r gerddoriaeth roeddwn i'n ei dewis, roedd y plant yn mwynhau. Ac, wrth gwrs, roedd y rhieni'n llawer mwy hapus i ddod â'u plant i gêmau. Canlyniad hyn oll oedd creu awyrgylch arbennig pan fyddai Cymru'n chwarae gartre.

Gêm yn erbyn Azerbaijan oedd y tro cynta i fi sylweddoli bod yr ymdrechion i gyffroi'r dorf yn dechrau cydio. Roedd yn ddiwrnod crasboeth o haf. Roedd y llinell arferol wedi cael ei defnyddio gen i fel yn y gêmau blaenorol – 'support the boys – and make some noise'. Ond yn y gêm honno, fe gydiodd go iawn. Hanner ffordd drwy'r frawddeg fe wnaeth dros 40,000 ymuno â fi i'w chwblhau. Teimlad eitha anhygoel i fi'n bersonol, mae'n rhaid dweud.

Dw i'n dal i gofio hyd heddi rai o chwaraewyr Azerbaijan yn edrych i fyny at y stands a gweld y miloedd yn gweiddi, '... make some noise!' Roedd wedi creu argraff arnyn nhw, dw i'n sicr. Roedd sawl un jyst yn syllu o gwmpas am rai munudau wrth glywed y fath dwrw yn llenwi'r stadiwm.

Yn y blwch, lle roeddwn i'n gwneud y cyhoeddiadau, dw i'n cofio teimlo fy hun yn gwenu oddi mewn. Mae gen i ran yn yr hyn sy'n digwydd o'm blaen ar hyn o bryd. Waw!

Erbyn hynny roedd pawb wedi cael y syniad fod angen help y dorf ar y bois ar y cae. Roedd Mark Hughes ei hun wedi gweld hynny'n gynnar iawn a braf oedd cael ei gefnogaeth.

Bu gan Gymru ddwy gêm fawr yn y cyfnod pan oeddwn i wrth y meic. Ac roedden nhw'n gyfleon gwych i fi drio gwneud rhywbeth ychydig yn wahanol. Ac mi wnes.

Ein buddugoliaeth yn erbyn yr Almaen oedd
y cyfle cynta. Roeddwn wedi paratoi rhyw
fanylion ymlaen llaw yn seiliedig ar sylwebaeth
gêm bêl-droed enwog rhwng Lloegr a Norwy.
Gêm yng Nghwpan y Byd oedd hi ac fe gollodd
Lloegr. Roedd gan Norwy sylwebydd enwog ar y
pryd, Bjorge Lillelien. Roedd ffans pêl-droed yn
arfer troi sain y teledu yn isel er mwyn gwrando
ar Bjorge ar y radio, roedd e mor boblogaidd.

Beth bynnag, wedi buddugoliaeth Norwy,
roedd ei sylwadau ar ddiwedd y gêm yn
fythgofiadwy ac yn rhan o chwedloniaeth pêl-
droed drwy'r byd i gyd:

'We are the best in the world! We are the best in the
world! We have beaten England 2–1 in football!! It is
completely unbelievable! We have beaten England!
England, birthplace of giants. Lord Nelson, Lord
Beaverbrook, Sir Winston Churchill, Sir Anthony
Eden, Clement Attlee, Henry Cooper, Lady Diana…
we have beaten them all. We have beaten them all.
Maggie Thatcher, can you hear me?

Maggie Thatcher, I have a message for you in the
middle of the election campaign. I have a message
for you: we have knocked England out of the
football World Cup. Maggie Thatcher, as they say in
your language in the boxing bars around Madison

Square Garden in New York: Your boys took a hell of
a beating! Your boys took a hell of a beating!'

Dim rhyfedd i'r *Observer* ddewis y darn yna fel
y sylwebaeth chwaraeon gorau erioed! Tipyn o
gymeriad! Ac felly, o ganlyniad i'w ysbrydoliaeth
e, fe wnes i gyhoeddi ar ddiwedd buddugoliaeth
Cymru yn erbyn yr Almaen.

'Boris Becker, Steffi Graf, Albert Einstein, Claudia
Schiffer, can you hear me? Can you hear me, Claudia
Schiffer? Your boys took one hell of a beating!'

Roedd y sylw at Claudia yn benodol wedi creu
cryn ymateb. Ac roedd cyfeiriad at yr hyn
ddwedes i yn y papurau'r diwrnod canlynol
hefyd. Yn 2005, defnyddiwyd yr un araith fel
sail i'r sylwadau wedi i dîm criced Lloegr ennill y
Lludw yn ôl.

Yr Eidal oedd ein gwrthwynebwyr nesa. Ac
wedi eu curo nhw hefyd, dim ond un araith allai
fod yn ysbrydoliaeth i fi'r diwrnod hwnnw.

'Friends, Welsh people, countrymen! Lend me
your ears! Wales 2, Italy 1!'

Yr uchafbwynt i fi yn nhermau gêmau Cymru
oedd y gêm yn erbyn Rwsia. Do, fe gollon ni'r gêm,
ond i fi'n bersonol roedd yn achlysur arbennig.
Roedd y lle'n llawn unwaith eto. Roedd y dorf yn
wresog ac mewn hwyliau da a'r diwrnod hwnnw,

fe lwyddodd popeth a wnes i geisio ei wneud.

'Foneddigion a boneddigesau, rydw i wedi derbyn neges gan fenyw yn Rwsia. Mae'n dweud ei bod yn byw ym Moscow ac yn edrych ymlaen yn fawr at y gêm. Ond, mae'n gofyn a fyddwn ni cystal â pheidio gwneud cymaint o sŵn gan nad yw hi'n gallu clywed ei hun yn meddwl!'

Dechreuodd y chwerthin yn syth.

'Gan ystyried hynny, hoffwn siecio lefelau'r sain. Felly, dw i'n gofyn i chi nawr, foneddigion a boneddigesau, "Support the boys..."'

Doedd dim angen i fi ddweud gair arall. Fe aeth yr holl beth fel tân gwyllt o amgylch y stadiwm. Roedd degau o filoedd yn gorffen y frawddeg ar dop eu lleisiau a finnau'n eistedd 'nôl ac yn gwrando arnyn nhw. Fe aeth yr holl sŵn, y canu a'r gweiddi ymlaen yn ddi-dor tan ychydig funudau cynta'r gêm.

Fel dwedes i, colli'r gêm wnaethon ni. Ac yn y coridorau o dan Stadiwm y Mileniwm wedi'r gêm, daeth rhywun ymlaen ataf. Doeddwn i ddim yn ei adnabod o gwbl.

'Pwy wyt ti?' gofynnodd i fi'n ddigon swrth.

'Ali, y cyhoeddwr ar y tannoy.'

'O', meddai, 'fe ges di gêm dda iawn heddi.'

Gan ddiolch yn fawr iddo am ei sylwadau caredig, mi gerddais i ffwrdd. Daeth un o fois yr FAW ataf. Gofynnodd pam roeddwn i wedi bod yn siarad â Eric Harrison. Roedd yn amlwg yn ôl fy wyneb nad oeddwn i'n gwbod pwy oedd Eric Harrison, felly fe esboniodd.

'Fe yw'r un sy'n cael y clod am fod yn gefn i Syr Alex Ferguson. Fe yw ei "guru" fel rheolwr. A fe hefyd sydd yn gefn i yrfa Mark Hughes fel rheolwr!'

Doedd gen i ddim syniad. Ond, waw, diolch mwy fyth am y sylw!

PENNOD 6

ROEDD PETHAU'N MYND YN arbennig o dda. Roeddwn yn creu rhywbeth unigryw ym Mharc Ninian ac roedd yr un peth yn llwyddo gyda thîm Cymru. Doeddwn i ddim am i'r cyfan ddod i ben. Ond fe ddaeth yn y diwedd.

Wrth i Gymru apwyntio rheolwr newydd, sef Tosh, daeth agwedd newydd tuag at ddiddanu'r ffans. Falle hefyd ei fod yn gyfle i'r FAW newid y drefn ychydig a chyflogi rhywun nad oedd yn dod o unrhyw un o glybiau Cymru. Daeth stori'r gêm yn y Liberty yn ôl i fi pan ddeallais nad oeddwn i gario mlaen gyda gêmau Cymru, a hynny gyda llaw, er i mi wahodd Kevin Johns i fod gyda fi yn y gêm honno. Person niwtral sydd yno nawr.

Gwahanol iawn oedd gorfod clywed bod Caerdydd yn ailystyried fy rôl o fewn y clwb. Galwad ffôn unwaith eto i weld Julian Jenkins ddechreuodd y cyfan. Roedd y tymor wedi dod i ben ac roedd pawb wrthi'n gwneud y paratoadau a'r cynlluniau ar gyfer y tymor newydd. Roedd Sam Hammam wedi gadael y clwb erbyn hynny a Peter Ridsdale wedi cymryd drosodd.

'Mae pethau'n mynd i newid y tymor nesa,

Ali,' meddai Julian wrtha i.

'Ydi hynny'n golygu nad ydych chi ishe fi o gwbl?' atebes inne fe 'nôl yn syth.

'Dw i ddim yn dweud hynny, ond beth sydd wedi digwydd yw fod Kiss FM wedi gwneud cynnig ariannol i gymryd y tannoy drosodd ar ddiwrnod y gêm. Maen nhw wedi gwneud yr un peth gyda Bristol City.'

Bwriad Kiss FM oedd cynyddu eu gafael ar ardal Bryste a Chaerdydd ac roedd cysylltu â'r clybiau pêl-droed yn ffordd dda iawn iddyn nhw wneud hynny. Felly, roedden nhw am redeg eu sioe eu hunain cyn, yn ystod ac ar ôl y gêm. Ac roedd Caerdydd yn cael eu talu am ganiatáu iddyn nhw wneud hynny.

Gofynnais a oedd modd i fi ddal gafael ar y cyhoeddi gan adael y gerddoriaeth ac ati'n llwyr iddyn nhw. Ond roedd yn amlwg nad oedd hynny'n bosib.

'Beth sy'n digwydd i fi 'te?' oedd yr unig gwestiwn ar ôl i'w ofyn.

Ta-ta oedd y neges glir ddaeth drosodd, er na wnaeth Julian ddefnyddio'r union eiriau hynny. Roedd y newyddion wedi fy ysgwyd cryn dipyn, mae'n rhaid dweud. Roeddwn wedi gwneud y swydd am flynyddoedd ac wedi'i datblygu hefyd. A nawr, roedd y cyfan yn diflannu. Yn ddisymwth.

Rai dyddiau wedyn, fe es i gyfarfod clwb y cefnogwyr fel roeddwn i'n arfer gwneud. Yn ystod sgwrs â rhai o'r ffans eraill y noson honno, trodd un ata i a gofyn a oeddwn yn edrych ymlaen at y tymor newydd. Dywedais fy mod i, ond y byddai'n od iawn i sefyll 'nôl ar y teras fel yn yr hen ddyddiau.

'Be ti'n feddwl "sefyll 'nôl ar y teras"?'

'Wel, ym, dw i wedi cael y sac! Ma Kiss FM yn cymryd popeth drosodd.'

'*No way*! Dyw hwnna ddim yn iawn. Bydd yn rhaid i ni neud rhywbeth ynglŷn â fe.'

Diolchais iddo am ei gefnogaeth, ond dywedais fod y cyfan wedi'i drefnu erbyn hynny. Roedd yr arian yn ei le.

O'r bore canlynol ymlaen, roedd negeseuon yn ymddangos ar y wefan. Roeddwn yn derbyn e-byst a negeseuon testun. Y cyfan yn diolch i fi am yr hyn wnes i gyda'r clwb ac yn dweud nad oedd yn deg mod i wedi gorfod mynd. Yn y diwedd daeth cymaint o negeseuon nes mod i'n teimlo y dylwn ateb yn swyddogol fel petai. Felly anfonais neges allan yn diolch o galon i bawb am eu cefnogaeth ond nawr roedd cwmni arall i mewn a doedd dim y gallwn ei wneud am y peth. Felly 'nôl i'r Grange End â fi!

Dyna lle'r oeddwn i ar gyfer gêm gyntaf tymor newydd 2007 – gêm gyfeillgar yn erbyn tîm o'r Iseldiroedd. Roedd awyrgylch dda iawn yno'r diwrnod hwnnw. Roedd ambell chwaraewr newydd wedi dod i'r clwb – cyn-seren Lerpwl yn un, sef Robbie Fowler, a Jimmy Floyd Hasselbaink, gynt o Chelsea. Roedd y gobeithion yn uchel am dymor da.

Ac unwaith eto, roedd nifer wedi dod lan ata i a dweud mai fi ddyle fod ar y tannoy y diwrnod hwnnw. Er taw mewn bocs bach ar fy mhen fy hun y byddwn i'n gwneud fy ngwaith cyhoeddi, byddwn yn dal i fynd i'r gêmau oddi cartre. Felly roeddwn yn dod i nabod y ffans oherwydd hynny ac roedden nhw'n fy adnabod i.

Cefais nifer yn dod ata i ac yn gofyn i fi wneud cyfarchion pen-blwydd a'r rheiny fel arfer yn rhai gwahanol. Erbyn diwedd y gêm roedd fy mhocedi'n llawn darnau o bapur gydag enwau a chyfarchion amrywiol arnyn nhw. Roedd yn deimlad grêt a chynnes iawn.

Daeth amser dechrau'r gêm a'r cyhoeddwr newydd yn agor y meic i ddweud pwy oedd yn chwarae i'r ddau dîm. Cafodd nifer o enwau'r chwaraewyr yn gwbl anghywir. Do, cafodd hyd yn oed rai chwaraewyr Caerdydd, ac nid dim ond y tîm o'r Iseldiroedd! Wedyn chwaraeodd ei gerddoriaeth. A dechreuodd nifer o ffans Caerdydd weiddi arno,

'Beth yw'r crap hyn?'

Er nid dyna oedd yr union iaith, wrth gwrs! Ymhen ychydig, o ben arall y Grange End, nid lle roeddwn i'n sefyll, dechreuodd y dorf weiddi,

'We want Ali back, we want Ali back!'

A daeth y floedd sawl gwaith yn ystod y gêm. Wedi i fi fynd adre, roedd rhagor o negeseuon ar y we yn beirniadu'r boi newydd ac yn galw arna i i ddod yn ôl. Roedden nhw'n arbennig o feirniadol o agwedd Kiss FM ac yn ei alw'n 'corporate American crap'. Roedd sawl cyfeiriad at Americaneiddio pêl-droed yng Nghymru.

Y cam nesa oedd gweld bod rhywun, a dydw i hyd heddi ddim yn gwybod pwy, wedi dechrau petisiwn ar-lein yn galw ar y clwb i roi'r gwaith cyhoeddi yn ôl i fi. Ymhen tridiau, roedd chwe chant o enwau wedi'u casglu. Roedd yn hwb aruthrol i fi, yn enwedig o ddarllen rhai o'r sylwadau canmoliaethus wrth ochr yr enwau.

'He puts a smile on your face even if we lose.'

'People like him keep football real.'

Roedd pobl yn garedig iawn tuag ata i. Hefyd, roedd enwau ar y ddeiseb gan ffans y clwb mewn gwledydd tramor. Doeddwn i ddim yn gallu credu'r peth.

Pum diwrnod ar ôl i'r ddeiseb ar y we agor, daeth galwad ffôn arall gan y clwb. Y tro hwn, roedd Peter Ridsdale, y Cadeirydd newydd, ishe fy nghyfarfod. Ffwrdd â fi felly. Cyn i fi gyrraedd y stafell, bron, dywedodd,

'Ali, it seems you have lots of friends around here!'

'It's great to have friends, isn't it Peter?' atebes inne'n ddigon cwrtais.

'Don't ask me, I wouldn't know what you're talking about!'

Roeddwn i'n hoffi'r ateb yna'n fawr. Roedd yn grêt i weld bod y Cadeirydd newydd yn gallu chwerthin am ei ben ei hun. Aeth yn ei flaen i ddweud,

'Ga i ddweud yn syth,' meddai, 'nad cael gwared arnat ti oedd y bwriad yn y lle cynta. Cyn i fi ddod yma, doedd neb am fuddsoddi yn y clwb. Neb. Nawr ma cwmnïau'n awyddus iawn i roi eu harian i ni ac am fod yn rhan o lwyddiant y clwb. Dw i'n siŵr y gelli di, fel un o ffans Caerdydd, ddeall hynna.'

Ac roeddwn i wir yn deall yr hyn a oedd wedi digwydd.

'Y peth yw, ti'n gweld,' meddai, 'rwyt ti wedi gwneud rhywbeth arbennig fan hyn yn y clwb ac wedi gwneud iddo edrych yn hawdd. Y broblem yw, pan ma rhywbeth yn swnio'n hawdd, ma perygl i bobl gredu ei fod e'n hawdd. Doedd y dyn ifanc wnaeth y gwaith i Kiss FM ddim yn ystyried pa mor anodd yw'r gwaith mewn gwirionedd. Er mai dim ond un gêm sydd wedi'i chwarae, dw i'n fodlon cydnabod nad yw'r fenter wedi gweithio. Wyt ti am ddod 'nôl?'

Roeddwn wrth fy modd! Ar fy wyneb wrth adael yr ystafell roedd y wên fwya llydan erioed. Yr unig beth wnaeth fflachio drwy fy meddwl oedd, 'Dam! 'Nes i ddim gofyn am godiad cyflog!' Ond roeddwn i'n hapus iawn heb hynny mewn gwirionedd. Yr unig beth ddywedodd Peter Ridsdale ar ôl i fi dderbyn y gwahoddiad i fynd 'nôl oedd, paid â gwneud ffys mawr yn dy gêm gynta. Pwy, fi?

Wnes i ddim ffys fawr iawn, iawn, wir. Y cyfan wnes i oedd dewis cân gan Eminem, 'Guess who's back? Back again? Tell a friend'! Ac yn eironig ddigon hefyd, mae'r gân yn cynnwys y llinell, 'I've created a monster'. Arwyddocaol iawn!

PENNOD 7

DIOLCH BYTH MOD I wedi cael gwahoddiad i fynd 'nôl at y meic gyda Chaerdydd. Lai na blwyddyn ar ôl hynny, roedd Caerdydd yn Wembley yn Ffeinal Cwpan yr FA am y tro cyntaf ers 1927. Bydden i wedi bod yn drist iawn petawn i wedi gorfod colli'r profiad hwnnw.

Dechreuodd y gorfoledd ar strydoedd Middlesbrough, o bob man. Roeddwn wedi cael gwahoddiad gan Mark, cyhoeddwr Middlesbrough, i weld y gêm go-gyn-derfynol gyda fe yn ei gwt cyhoeddi. Yn rhyfedd ddigon, roedd ei gwt yng nghefn y stand, y tu ôl i gefnogwyr y tîm oedd yn ymweld â Middlesbrough. Felly roeddwn i reit wrth ymyl y miloedd o ffans Caerdydd a oedd wedi teithio i ogledd Lloegr ar gyfer y gêm yng Nghwpan yr FA. Erbyn diwedd y gêm, a ninne ar y blaen, roeddwn i allan o'r cwt cyhoeddi ac yn sefyll yng nghanol ffans Caerdydd. Ar y stryd wedyn, roedd pawb yn cofleidio'i gilydd, yn cusanu dieithriaid ac yn dawnsio ar hyd y prif strydoedd. Roedden ni'n mynd i Wembley ar gyfer y gêm gynderfynol yn erbyn Barnsley!

'Nôl yng Nghaerdydd, cefais neges gan y clwb

fod yr FA wedi cysylltu a gofyn i gyhoeddwr y clwb fod yn rhan o'r achlysur. Roedd cyfle i ni, fi a chyhoeddwr Barnsley, gael rhai munudau ar y meic cyn dechrau'r gêm. Yna, ar ôl i'r gêm orffen, roedd cyhoeddwr y tîm buddugol yn cael mynd 'nôl at y meic a mwynhau'r fuddugoliaeth gyda'r ffans.

Roedd y dyn oedd yn trefnu'r cyfan ar ran yr FA yn foi hyfryd iawn. Ac wedi cyrraedd Wembley, fe ddes i ar draws dwy Gymraes yn gweithio i'r FA yno. Dechrau da! Roedd yn grêt gweld dau o ffans mwya Barnsley yno hefyd, Michael Parkinson a Darren Gough. Cafodd Gough, oedd yn fowliwr i dîm criced Lloegr, ei boeni'n ddiddiwedd gan ffans Caerdydd. Pan gerddodd heibio un grŵp ohonyn nhw, roedden nhw'n canu, 'Pacistan! Pacistan! Pacistan!' am fod Lloegr newydd golli yn eu herbyn ychydig cyn hynny. Ac yntau, chwarae teg, yn gwenu'n braf oherwydd y tynnu coes.

Roedd gen i hawl i ddewis dwy gân i'w chwarae cyn y gêm. Roedd y clwb am i fi chwarae dwy gân o'u dewis nhw. A rhaid oedd ufuddhau. Wel, tan i fi gyrraedd Wembley o leia. Heb roi gwybod i unrhyw un, fe newidiais y caneuon ar y funud ola. Fel hyn roeddwn i'n gweld pethau – fi oedd wedi bod yn dewis cerddoriaeth am y saith mlynedd diwetha ac erbyn hyn roedd gen i syniad beth roedd y ffans yn ei hoffi.

Roedd y clwb am i fi chwarae 'Men of Harlech' yn ddigon naturiol. Ond, roedden nhw am chwarae fersiwn modern o'r gân. Mi wyddwn nad ydi'r fersiwn yna'n mynd i lawr yn dda o gwbl. Hefyd, roedd cân Barnsley newydd gael ei chwarae ac roedd honno'n gân fodern iawn. Doedd e ddim wedi gweithio. Felly, ar ddiwedd eu cân nhw, fe wnes i roi'r hen fersiwn o 'Men of Harlech' i'r boi technegol yn Wembley a dweud, 'Play this!'

Wedi gwneud hynny, mi gymrais fy lle wrth y meicroffon a dechrau siarad. Dechrau cyfarch Wembley! Gan nad oedd cymaint o amser 'da fi ag arfer, roeddwn wedi paratoi araith ar bapur. Roedd maint yr achlysur wedi cydio ynof gymaint, felly pan agorais fy ngheg roeddwn yn swnio mwy fel Lloyd George yn y senedd nag Ali Yassine ar gae pêl-droed!

Fe wnes i sôn am bwysigrwydd uno y tu ôl i'r tîm, i wneud y mwyaf posib o'r achlysur gan nad oedd yn digwydd yn aml ac y byddai'n stori y bydden ni'n ei rhannu am flynyddoedd i ddod.

'Ac i goroni hyn i gyd yn yr unig ffordd posib i ni fel tîm Dinas Caerdydd, gadewch i ni ganu "Men of Harlech"!'

Chwaraewyd y disg roeddwn i wedi'i roi i'r boi ac roedd pawb fel un yn codi a chanu. Roedd yn sicr yn foment a wnaeth i'r gwallt ar gefn fy ngwar godi. Roedd Wembley yn boddi dan y rhyfelgan Gymreig. Am wefr!

Un ffordd oedd yna o ddilyn hwnna.

'Come on Cardiff, let's do the Ayatollah!'

A dyna lle roedd hanner Wembley yn gwneud arwydd y clwb.

Roeddwn wedi llwyr fwynhau'r holl beth. Ac, o ie, fe enillon ni'r gêm wrth gwrs! Felly, roedd taith arall i Wembley o'n blaenau. Y tro hwn i'r FA Cup Final ei hun! Ond cyn hynny, roedd yn rhaid mwynhau a dathlu'r fuddugoliaeth. Chwaraeais ddwy gân ar ôl y gêm hefyd, sef 'Men of Harlech' eto a 'Hey Jude'. Mae 'Hey Jude' yn un o hen ganeuon traddodiadol Caerdydd, 'Nah nah nah, City City...' ac yn y blaen. Mae wastad yn boblogaidd, er bod rhai, ar un adeg, wedi ceisio cael gwared ar y gân er mwyn cael rhywbeth mwy modern. Roedd bod yn Wembley'r diwrnod hwnnw'n ddigon o brawf bod 'Men of Harlech' a 'Hey Jude' yn agos iawn at galon ffans yr Adar Gleision.

Daeth boi o'r FA ata i ar ôl i fi chwarae'r caneuon a dweud, 'Ok, the mike's yours. Have fun!'

'Foneddigion a boneddigesau, rydyn ni wedi llwyddo! Rydyn ni yn yr FA Cup Final! Rhaid diolch o galon i bawb sy wedi gwneud hyn yn bosib. Mae llawer ohonon ni'n cofio'r amseroedd gwael iawn yn y clwb. Ond mae'n siŵr mai diwrnodau fel heddi sy'n gwneud y cyfan yn werth chweil. Mae'n gwneud yr holl ymdrechu a'r brwydro'n dderbyniol.'

Ac ymlaen â fi wedi cyffroi'n llwyr. Roeddwn wedi cael caniatâd i siarad Saesneg a Chymraeg yn Wembley hefyd, felly mi wnes i symud 'nôl a blaen rhwng y ddwy iaith. Hyd y gwn i, dyna'r tro cyntaf i'r Gymraeg gael ei defnyddio'n swyddogol yn Wembley. Dw i'n cyfri hynny'n anrhydedd aruthrol.

Gofynnais i bawb ganu 'Men of Harlech' eto a'r tro hwn roedd yn fwy trydanol hyd yn oed na'r tro cynt. Wedi i mi orffen siarad roeddwn ar dân ishe rhedeg ar y cae i fod yn rhan o'r dathlu. Ond ches i ddim. Yn syml iawn, dywedodd un o swyddogion yr FA wrtha i na fyddwn yn cael gwneud y cyhoeddiadau yn y Ffeinal os byddwn i'n mynd ar y cae. Roeddwn yn siomedig, ond roeddwn hefyd am fynd i'r Ffeinal. Felly, mwynhau'r awyrgylch wnes i gyda'r ffans. A chwarae teg, fe wnaeth nifer ohonyn nhw ddiolch i fi am arwain y cyffro, fel petai.

Dychmygwch fy nheimladau, felly, wrth edrych ymlaen at gael mynd i'r Ffeinal ei hun 'nôl yn Wembley. Roedd y sylw, yr 'hype', y disgwyliadau ac arwyddocâd yr holl beth yn cynyddu fwyfwy wrth i'r dyddiad agosáu. Ond siom aruthrol ges i ar y diwrnod ei hun wrth gerdded i mewn i Wembley ac i'r stafell lle roeddwn i wedi bod ar gyfer gêm Barnsley. Roedd y rheolau'n dipyn mwy llym, yr holl beth yn fwy militaraidd ei naws. Ac ar ben y cyfan, ces orchymyn pendant i beidio â siarad gair o Gymraeg yn ystod fy nghyhoeddi! Roedd honna'n eithaf ergyd.

'Excuse me,' medde fi, 'the Welsh National anthem is going to be sung, by Katherine Jenkins. That's in Welsh, isn't it?'

'She's singing "Land of Our Fathers",' medde boi'r FA, fel petai'n credu y byddai'n canu yn Saesneg. Falle ei fod e'n credu hynny mewn gwirionedd, sy'n gwneud ei agwedd at y Gymraeg yn waeth byth. 'If you say a word in Welsh, we'll switch off the tannoy.'

Dyna ddiwedd ar y sgwrs yna felly. A wnaeth agwedd y cyhoeddwr o Portsmouth ddim helpu pethau ar ôl hynny. Roedd mor wahanol i foi Barnsley, a oedd yn gyfeillgar ac yn wresog. Daeth boi Portsmouth ata i,

'Hello, I'm the Premiership Tannoy Announcer of the Year and I'm related to Stuart Pearson...'

Ac ymlaen â fe ynglŷn â'r ffaith mai nhw oedd y tîm o'r Uwch Gynghrair, nhw oedd y tîm o Loegr yn yr 'English FA Cup Final'. Roedd yn ddiflastod llwyr. Ond, fel mae'n digwydd, chafodd e mo'i ffordd ar bopeth. Roedd yn benderfynol o fynd yn ail yn y drefn gyhoeddi, ac am sicrhau y byddai ar fy ôl i. Ond roedd yr FA wedi paratoi sgript fanwl i ni. Ac ar honno, fi oedd i fynd yn ail, ar ei ôl e.

'No no,' medde fe, 'we won't have that. You go first and then I'll go second.'

Roedd yn ddechrau mor ddiflas i achlysur mor arbennig. Roedd y boi – dw i ddim hyd yn oed yn cofio'i enw cyntaf – mor benderfynol o gael pawb i wneud fel roedd e ishe. Ond sticio at y sgript y bu'n rhaid i ni wneud. Doedd dim ots gen i fynd yn gynta neu'n ail, mewn gwirionedd. Pobl wedi ein gwahodd oedden ni'r diwrnod hwnnw. Felly, mater o gwrteisi oedd dilyn y sgript a drefnwyd ar ein cyfer. Ac roedd mwynhau'r achlysur yn bwysig hefyd.

Ar ôl iddo fe wneud ei waith a chefnogwyr Portsmouth yn ymateb, daeth fy nhro i. Am ryw reswm doedd dim llawer iawn o ffans Caerdydd i mewn yn y stadiwm pan oeddwn i'n dechrau siarad. Roedd mwy o ffans Portsmouth yno. Ond i ffwrdd â fi. Ac roedd yn rhaid defnyddio tri gair Cymraeg er gwaetha – neu falle oherwydd – agwedd yr FA.

'Foneddigion a boneddigesau, ladies and gentlemen, we're not here just representing Cardiff City Football Club, nor just the good city of Cardiff either. Nor are we here representing the county of South Glamorgan. We're here representing an entire nation. We will take our battered bones and we will rise for our nation!'

Erbyn hynny roedd y llew ynof wedi deffro. Daeth araith wleidyddol arall allan er i'r FA gael ei ddymuniad o beidio â defnyddio'r Gymraeg.

A doedd boi Portsmouth ddim yn hapus o gwbl! Tra oeddwn i'n siarad, roedd yn gweiddi ac yn bytheirio yn y cefndir,

'What the ****** do you think this is? A political speech?'

Bu'n rhaid i mi gau'r meic ar un adeg am ei fod yn gweiddi cymaint. A'r peth nesa, fe gydiodd yn ei faner Portsmouth a'i chwifio yn fy wyneb. Fel plentyn bach! Roeddwn i'n methu coelio'r peth.

Mi wnes droi ato a dweud,

"Is that what you call a flag?"

Ac wrth ofyn, tynnu baner Cymru anferth allan oddi tanaf, beth gallen ni alw yn 'mother of all flags'! Ac wedi gweld hwnna, fe aeth yn waeth.

"I'm not having this," aeth yn ei flaen, "this is an English Stadium. This is England."

Diolch byth bod staff yr FA yno i'w dawelu.

Roedd y tannoy y tro hwn ar ochr Pompey o'r cae. Felly, pan oeddwn i'n cyhoeddi, roedd eu heilyddion nhw a'r tîm hyfforddi'n eistedd o'm blaen a'r rhai nad oedd yn chwarae yn eistedd y tu ôl i fi. Roedd nifer ohonyn nhw'n ddu eu croen. A dyna lle gwylies i'r gêm i gyd.

Wedi rhai munudau o chwarae, roedd Kanu wedi methu gôl hawdd i Pompey. Neidiais i'r awyr a gweiddi,

'Yes! God is on our side!'

Ac yn syth clywais lais o'r tu ôl i fi,

'No, no, no, no. God is on our side!'

Un o'u chwaraewyr nhw'n pryfocio'n chwareus. O'r eiliad honno ymlaen, roedd banter rhyngdda i a rhai o'u chwaraewyr nhw drwy'r gêm. Ac i ychwanegu at hynny, doedd gweld y banter yma gyda'i chwaraewyr ei hun ddim wedi plesio Mr Tannoy Announcer of the Year o gwbl!

Yn y diwedd, wrth gwrs, collodd Caerdydd o un gôl i ddim. Gôl gan Kanu, fel mae'n digwydd. Falle fod y boi yn iawn ynglŷn â pha ochr roedd Duw, wedi'r cyfan! Ond er gwaetha hynny, roedd ffans Caerdydd wedi aros yn y stadiwm ar ôl i'r gêm orffen – un o'r troeon prin yn hanes y cwpan i gefnogwyr y tîm a gollodd wneud hynny. Fe roddwyd pob cymeradwyaeth i chwaraewyr Pompey gan ein ffans ni wrth iddyn nhw ddathlu. Nodwyd hynny gan nifer yn y byd pêl-droed yn ystod y dyddiau wedyn.

Ac i fi, yn bersonol, beth oedd yn rili neis, oedd fod cymaint o chwaraewyr Portsmouth wedi dod ata i i ysgwyd llaw. Pan roedd bysiau Caerdydd yn tynnu allan o Wembley, fe wnaeth ffans Portsmouth, fel un, guro dwylo i gymeradwyo. Mewn cyfnod pan mae pêl-droed yn cael digon o benawdau gwael, mae'n bwysig nodi'r pethau da sy'n gysylltiedig â'r gêm.

Mae gen i atgofion anhygoel am y diwrnod hwnnw. Mae gen i hefyd fomento cwbl unigryw. Wrth adael a ffarwelio, gofynnodd un o fois yr FA i fi oeddwn i am gael ambell raglen o'r gêm, neu faner, neu unrhyw beth arall i gofio'r achlysur. Gwelais faneri yn y gornel a gofyn a oedd hi'n bosib cael un ohonyn nhw. 'Iawn, dim problem,' meddai. Cydiais mewn chwe baner a'r geiriau yma arnyn nhw:

'Cardiff City FA Cup Winners 2008! '

Roedd yn rhaid iddyn nhw baratoi popeth fel petai unrhyw un o'r ddau dîm yn ennill ar y dydd – y rhubanau, y baneri, y balŵns a phopeth. Caiff y cyfan a baratowyd ar gyfer y tîm a gollodd ei daflu. Felly, fe ddes i o Wembley â rhywbeth prin iawn. Dw i wedi rhoi un faner i Joe Ledley, sy'n chwarae i Gaerdydd a Chymru, ma un 'da Half Time Wayne, sy'n gyfrifol am yr adloniant hanner amser ac mae un 'da'r Supporters Trust. Dw i ddim yn dweud ble dw i wedi cuddio'r tair arall!

PENNOD 8

Roedd yn golygu cymaint i fi mod i wedi cael siarad yn Gymraeg cyn y gêm yn Wembley. Ac am mai fi oedd y cyntaf i wneud hynny, wel, mae'n anodd cael geiriau i ddisgrifio fy nheimladau. Dw i wedi defnyddio'r Gymraeg yn ystod gêmau Caerdydd hefyd, ac yn amlwg, yn ystod gêmau rhyngwladol Cymru. Er, rhaid cofio nad oeddwn i'n gallu siarad yr iaith ar y dechrau.

Mae fy ngwreiddiau yn yr Aifft ac yn Somalia. Daeth fy nhad-cu i Brydain a setlo yn Lerpwl, cyn symud i Gaerdydd yn y pumdegau. Doedd y teulu ddim yn gwybod unrhyw beth am fodolaeth y Gymraeg, hyd yn oed ar ôl symud i Gaerdydd. Fy agwedd i, wedi i mi dyfu, oedd ei bod yn anodd iawn i mi ystyried fy hun yn Gymro yn byw yng Nghymru os nad oeddwn yn gwybod rhywbeth am iaith y wlad.

Mae'r ffordd y des i siarad Cymraeg yn stori ddigon difyr!

Y tro cyntaf i fi ddeall bod iaith arall yng Nghymru oedd wrth ddod ar draws rhaglenni Cymraeg ar y teledu o bryd i'w gilydd. Roedd hynny cyn dyddiau S4C. Wrth newid o un sianel i sianel arall, neu wedi i raglen Saesneg orffen roedd yn ddigon naturiol fy mod yn dod ar draws rhaglen yn y Gymraeg wrth i honno ei dilyn. Rhaglenni bore Sadwrn dw i'n eu cofio orau, rhaglenni fel *Teliffant* a *Bilidowcar*. Roedden nhw yng nghanol y rhaglenni Saesneg.

Dw i'n cofio edrych ar un o'r rhaglenni Saesneg hynny – rhaglen gynta'r clasur hwnnw, *Swap Shop*. Rhyfedd meddwl bod gan y rhaglen ryw fath o gyfrifoldeb am fy nhroi at y Gymraeg!

Un rhan o'r rhaglen a brofodd yn llwyddiannus dros ben oedd y *Swaporama*. Yr unigryw a'r gorfywiog Keith Chegwin oedd yn gyfrifol am yr eitem honno. Ei nod oedd cael plant i ymweld â lleoliad gwahanol trwy Brydain bob wythnos. Byddai angen i blant y lle hwnnw ddod ag unrhyw degan neu eitem o'u heiddo roedden nhw'n barod i'w 'swapio' gyda phlant eraill. Roedd y *Swaporama* cyntaf erioed ar raglen gyntaf y gyfres, ym Mharc yr Arfau, Caerdydd. Roedd hynny ym mis Hydref 1976.

Felly, i ffwrdd â fi a'm ffrindiau o ardal y docie gyda'n teganau dan ein cesail, i Barc yr Arfau. Raced dennis blastig oedd gen i, dw i'n cofio'n iawn. Wedi i ni gyrraedd, roedd llawer o blant ardaloedd posh Caerdydd yno hefyd ac roedd ganddyn nhw deganau gwerth eu cael. Felly, roedd yn ddiwrnod da i ni! Dw i'n cofio mynd lan at y kids posh 'ma a dweud, 'Hey, swap you this for what you've got.' A doedden nhw ddim yn dadlau 'nôl o gwbl. Am ryw reswm! Roedd e bron fel petai plant Cyncoed a Llysfaen yn barod i gyfnewid eu teganau mwya gwerthfawr am y trash plastig oedd gyda ni, dim ond er mwyn cael ein gwared ni!

'Ie, dim problem. Fe wna i dderbyn dy raced dennis blastig di a cymera di fy Scalextrix i! Dim problem!'

Cydiodd Keith Chegwin yn fy raced dennis.

'What's this then, hey? A guitar?'

Ac ymlaen ag e i'w chwarae fel gitâr. Roedd y plant i gyd, hyd yn oed rhai Cyncoed, yn meddwl, 'Pwy yw'r twpsyn hwn?'

Ar ddiwedd y *Swaporama*, daeth y dyn oedd yn gyfrifol am y cae ym Mharc yr Arfau at rai ohonon ni a gofyn am help. Doeddwn i ddim yn gwybod ar y pryd, ond roedd *Swaporama* yn mynd i ba ardal bynnag y byddai'r Uned Darlledu Chwaraeon yn ymweld â hi i ddangos gêm. Dyna sut roedden nhw'n gallu talu i wneud y rhaglen yn y lle cyntaf. Ar y diwrnod hwnnw roedden nhw yng Nghaerdydd, am fod tîm rygbi Caerdydd yn chwarae yn erbyn yr Ariannin. Felly roedd angen clirio'r cae ar gyfer y gêm wedi i *Swap Shop* orffen.

Yr abwyd i'n denu ni i helpu oedd gadael i ni weld y gêm am ddim. Felly, roeddwn i a'm ffrindiau yn ddigon bodlon i helpu! Roedd yn rhaid i ni dynnu'r gorchuddion plastig oddi ar y cae. Fe gymrodd hynny gryn dipyn o ymdrech ac amser am fod angen tua ugain o bobl i symud pob un ohonyn nhw. Ac wedi cael paned o de, i ffwrdd â ni i sefyll ar y teras i weld y gêm.

Heblaw ar raglenni teledu, dyna'r tro cyntaf i fi glywed y Gymraeg yn cael ei siarad erioed. Aeth fy ffrindiau a fi i ddewis y man gorau i weld y gêm, gan ein bod i mewn mor gynnar. Fe setlodd y tri ohonon ni i eistedd ar ben postyn ffens wrth ymyl y cae. Daeth rhywun y tu ôl i ni, a rhoi prociad bach digon cadarn i ni gan ddweud, yn y Gymraeg,

'Symudwch o fanna fechgyn!'

Hynny yw, dyna dw i'n credu iddo'i ddweud. Ar y pryd, doeddwn i ddim yn gwybod ai Cymraeg roedd e wedi'i siarad gyda ni neu beidio. Fe aeth rhai blynyddoedd heibio cyn i fi sylweddoli mai Cymraeg roedd y person hwnnw wedi'i siarad â fi. Fe wnaeth hynny i fi feddwl wedyn falle fod pobl yn siarad Cymraeg o ddydd i ddydd ac nid jyst ar y teledu. Fe es i weld sawl gêm wedi hynny a mwynhau bob tro. Heb wybod wrth gwrs, mai dyna oedd Oes Aur rygbi Cymru ac nad oedd e ddim wastad cystal â 'na.

A minne bellach yn 25 mlwydd oed, roeddwn yn meddwl i fi golli'r cyfle i ddysgu Cymraeg.

Bellach roedd rhyw bymtheg mlynedd ers i fi glywed y Gymraeg yn cael ei siarad ar Barc yr Arfau. Roeddwn i wedi gadael yr ysgol ac wedi ennill prentisiaeth gan y Weinyddiaeth Amddiffyn fel ffiter awyrennau, gyda'r bwriad o ymuno â'r RAF.

Beth roddodd stop ar hynny oedd rhyfel y Falkands. Roeddwn i'n gweithio ar awyrennau Phantom, Vulcan, Canberras ac ati. Un diwrnod gwelais focsys â'r stamp Argentina arnyn nhw. Wedi holi, fe ddysgais y byddai'r bocsys hynny'n cael eu gwerthu i'r Ariannin. Doeddwn i ddim yn gallu deall hynny o gwbl.

'Felly, ar ôl i'n bois ni gael eu lladd yn y Falklands, ac wedi i'r rhyfel orffen, byddwn ni'n gwerthu arfau i'r Ariannin unwaith eto?'

'Byddwn, fel 'na ma byd busnes,' oedd yr ateb.

Ar ben hynny, daeth y syniad i'm meddwl y byddai'r arfau hyn, ryw ddydd, yn bomio Mwslemiaid. Dyna beth ydw i. Felly, yn 25 oed, mi wnes i dderbyn 'voluntary redundancy' a gadael y Weinyddiaeth Amddiffyn. Mi ges i £1,200 am adael. Beth wnes i â'r arian? Prynu gitâr ac ymuno â grŵp reggae!

Roedd y band yn ymarfer yn adeilad Grassroots, prosiect ieuenctid yng Nghaerdydd. Roeddwn i'n gwario bron fy holl amser yno

– y rhan fwya ohono ar y ffôn yn trefnu gìgs i'r band! Awgrymodd rhywun pam na fyddwn i'n ceisio am swydd yno. Hefyd, roedd arian ar gael ar gyfer hyfforddiant. Roedd amrywiaeth mawr o gyrsiau yno, hyd yn oed dysgu gyrru a magu hunanhyder. Wedi sefydlu nad oeddwn i'r math o berson a oedd angen y cwrs hwnnw, gofynnais am gael ymuno â chwrs dysgu Cymraeg. Wedi cryn dipyn o drafod, fe wnaeth pawb gytuno y gallwn ddilyn y cwrs.

Am bum diwrnod yr wythnos, am dair awr y dydd, a hynny am dros ddeuddeg wythnos fe es ati i ddysgu Cymraeg. Ar ôl dysgu, dechreuodd Grassroots gwrs fideo drwy gyfrwng y Gymraeg a fi oedd yr athro ar y cwrs hwnnw. Wedyn es i Gaernarfon am ddwy flynedd ar gwrs hyfforddi teledu Cyfle. Fe ddes i 'nôl o fanna'n hollol rugl.

Felly, fe es i o *Swap Shop* i'r Weinyddiaeth Amddiffyn, i fand reggae, i ddysgu Cymraeg ac i wneud cyhoeddiadau yn y Gymraeg yn Wembley! On'd ydi bywyd yn rhyfedd!

Rydw i wedi bod yn lwcus iawn i allu defnyddio 'Nghymraeg mewn sefyllfaoedd mor wahanol. Ac yn lwcus iawn i gael bod yn rhan o dîm Dinas Caerdydd, beth bynnag oedd yr iaith!

Mae gen i atgofion hapus iawn o ddyddiau Sam Hammam ac o'r dyn ei hun hefyd. Cymeriad cwbl unigryw roddodd lawer o hwyl i mewn i bêl-droed, a hebddo fe bydden i heb gael y cyfle i weithio ar y tannoy.

Mae Dinas Caerdydd mewn stadiwm newydd sbon erbyn hyn, wrth gwrs, ac mae hynny wedi gwneud gwahaniaeth. Er fy mod i'n un o fois y Grange End yn yr hen Barc Ninian, mae'n rhaid derbyn bod angen symud a datblygu. Mae hanes hir a chyfoethog i Barc Ninian a does dim angen troi cefn ar hynny. Ond, mae pennod newydd yn agor o'n blaenau ni'n awr.

Ar ddechrau'r trafodaethau i adeiladu stadiwm newydd, daeth y cyfle i fi gael dweud fy nweud ynglŷn â'r cyfleusterau yn y stadiwm newydd. Chwarae teg, gofynnwyd i mi beth fyddwn i'n hoffi ei weld yn y cartre newydd. Roedd un peth ar frig fy rhestr. Roeddwn am ffenest roedd modd ei hagor yn y man lle byddwn yn gwneud y cyhoeddiadau.

I fi, roedd yn bwysig gallu agor ffenest a gallu teimlo awyrgylch y ffans yn eu seddau a chlywed y canu, y bloeddio a'r cymeradwyo. Byddwn i wedyn yn teimlo'n rhan o'r dyrfa yn hytrach na bod mewn stafell wedi'i chau oddi wrth bawb a phopeth. A dyna beth ges i. Mae'n siŵr mai fi yw'r unig gyhoeddwr ym Mhrydain sydd â stafell gyhoeddi a ffenest sy'n agor! Mae'r lleill mor genfigennus ohona i.

Un newid amlwg arall, wrth gwrs, yw fod y tîm pêl-droed nawr yn rhannu'r stadiwm â thîm rygbi'r Gleision. Felly fe ddaeth y cais i fi wneud y cyhoeddiadau iddyn nhw hefyd. Dim problem, medde fi. Does fawr ddim gwahaniaeth rhwng y ddau, felly fe ddylai fod yn ocê.

Anghywir! Yn un o'r gêmau cyntaf, mi es ati i ddilyn fy steil arferol – steil a oedd wedi profi'n llwyddiannus dros flynyddoedd lawer gyda'r Adar Gleision. Roedd y tîm rygbi'n chwarae yn erbyn tîm o Loegr. Fe es i ati i ddweud jôc cyn i'r timau ddod ar y cae. Ac fe ddywedais hi yn Gymraeg.

'Beth yw'r gwahaniaeth rhwng E.T. a Sais?'

Wedi saib i bawb gael meddwl am yr ateb, dywedes,

'O leia ma E.T yn gwybod pryd i fynd adre!'

Fe gafwyd chwerthin digon iach gan y rhai a oedd yn deall. Ac yna, wedi eiliadau o saib, chwerthin gan y rhai a oedd wedi cael cyfieithiad o'r hyn ddywedes i. Ymlaen â fi wedyn i wneud y sylwadau angenrheidiol yn ystod y gêm fel roedd disgwyl i fi ei wneud.

Ar y dydd Llun, galwad. Ie, un arall! Roedd rhywun wedi cwyno am fy jôc. Rhywun nad oedd yn deall Cymraeg wedi holi beth ddwedes i ac wedi cael ei ypsetio gan fy sylwadau. Daeth pobl y tîm rygbi ata i a dweud wrtha i'n ddigon clir i beidio â gwneud y fath beth eto. Fe ddefnyddion nhw'r geiriau anfarwol, 'Rygbi yw hwn, nid pêl-droed!'

O'r diwrnod hwnnw ymlaen, rydw i'n dal i wneud y cyhoeddi i dîm y Gleision, ond yn gorfod dilyn sgript sydd wedi'i pharatoi ar fy nghyfer. Ches i erioed sgript wedi'i hysgrifennu i fi mewn bron i ddeng mlynedd o weithio i'r tîm pêl-droed!

Ond fyddwn i ddim yn newid unrhyw beth. Mae bod yn rhan o'r Adar Gleision yn fwy na braint. A phwy a ŵyr, wrth i'r llyfr yma gael ei gyhoeddi, mae'r tîm yn safle'r gêmau ail gyfle yn y Bencampwriaeth ac yn chwarae'n arbennig o dda. Falle, rhyw ddydd, y byddwn ni yn yr Uwch Gynghrair. Ond os byddwn ni yno neu beidio, yr un fydd y gân gen i,

'Come on, support the boys – and – make – some – noise!'